こちら葛飾区亀有公園前派出所㉖

秋

こちら葛飾区亀有公園前派出所㉖

目次

怪盗・鶴の007号の巻

きたか
長さん
まってた
ホイ…と

ようし
通れば
リーチ！
ゴッ
もう
チョット
静かに
やってくだ
さいよ！

いちいち
口やかま
しいぞ
中川！
ドン
あっ
パタ パタ パタ パタ パタ パタ

おっ！ 中川
あと中待ちの
大三元で
テンパイしてたのか…
あぶない
あぶない
あんなでかい
のにふりこんだ
ら大騒ぎだよ

先輩
ひどい！
手が全部
われちゃった
じゃないすか
気にするな
おかげで
当たりパイが
わかって
やりやすく
なった！

リーチを
かけてるから
もう手は
くずせない
し……
あとは
ツモしか
ないじゃな
いか…くそ
ひどい
勝負だな

そう
ひがむな
勝負は
時の運よ！

あ★
どうしたんだい
早くすてなよ
両さん
あのツラ…
さては当たり
パイをひいたな
自分でふりこむたあ
面倒みのいい
先輩だ!
ははは
ぬう〜〜
先輩もリーチ
だからすてるしか
方法がないんですよ
早くふって
ください
中川のはでけえ手だ
からないっぺんに
ハコテンだ
そ…
そうだな
それじゃ…
軽く……
あ〜〜〜〜っ
地震だっ
震度10!!
あーっ
グラ
グラ
グラ
あっ
こいつ!
いやあびっくりした
大きな
地震だった
なあ
雀卓の上だけ
地震に
なるか!?
わしの番だったな
ほれ!
あっ!
中と
ちがう!?
ドン
こいつ!
今のドサクサで
パイをかえ
やがったな!

もう
やめた！
やってられんよ！
こんな
勝負！
まったく
さっきから
インチキ
ばかり
してるし！
残念だな
みんなもよく
健闘しとった
がな…はは
盗難注意
ちぇっ
せっかく
大きなのが
できたのに
……

両さんとやると
いつも最後は
ウヤムヤに
なって終わる
んだからな…
まともに
勝負が
ついた
ためしが
ないよ！

それが
勝負師に
むかっていう
ことばか!?
そういうグチを
いってるから
おまえは
うだつのあがらない
永久ヒラ巡査と
いわれるんだ！バカ
まるで
自分のこと
のようだな…

ピーピー
なんだ?

亀有管内へこそ泥が逃げてきたらしい
かまうなほっとけばすぐとなりの管内へぬけてしまうわ……

先輩! この付近に指名手配中の鶴の007号がにげこんでるそうです
今立ちよった仲間が知らせてくれました
ちぇっ それならいくかな…
まったくいそがしくなってきたぜ

ようし中川留守番してろ! ちょっといってくるからな
はいオミヤゲわすれずにね!
おれは駅前のほういってみるよ……
パチンコなんかやってさぼるんじゃねえぞ!

亀有本通り商店街
まったく
やっかいな
もんだな

むっ
司令室
から
第3報が
はいった
ぞ
ピーピー
ピー

発見!
亀有二丁目
99番 特徴
水玉の赤シャツに
ストライプの
赤ズボン
なんて
ハデな
スタイルだ
ひと目で
わかるぞ

99番って
いったら
このあたり
だよ
両さん!
へへへ
ひさしぶり
の大捕物で
血が
さわぐぜ
キョロ
キョロ
ぺっ

あっ
いたの
か?
両さん

駅前東口派出所の野口じゃねえか!
いよう同期の両津か!ひさしぶりだなあ!

まあつもる話もあらあなどうだ!ここでお茶でものもう…
そうだなまあのんびりするか…
あっ

パア
たまにはりきると思ってたらあれだものなあ…

そうだ!こうしちゃいられない
ひとりでもさがさなくちゃ!

赤シャツに赤ズボン…なんてセンスだ
近くにいればいやでも目にはいるはずだが…

いくら目が悪くてもそのくらいはひと目みれば…
ん!?

いたっ!!
手配人着の
男だ……
ま まちがい
ない!!

あれだけ
趣味のわるい
スタイルしてる
やつは多くない
と思うが…
たしかめる
ために一応
職質して
みるか？
きみ
これから
どこへいく
のかね？

バリッ

いてて
ふろしき
づつみを……
あっ
こりゃ
ぜったい
まちがい
ないぞ！

まてーっ
そこの
男！

だめだ
この人ごみじゃとてもおいつけない
くそお

へっ
じょーだんじゃねえぜ
こっちとらにげるのはプロだ！
あんな丸い警官につかまってたまるか！

しかしうまくにげまわったと思ったのになんであんな所にもいやがったんだ…
まったく東京って所はどこいってもお巡りばかりいやがるなあ

さっきから走りっぱなしで少しようつかれたよまったく…
どこか休む…所は…と
MGC
JUN

よし
ここでひと休みするか！
COFFEE
アンギラス
謹賀新年
使用中

このあたりにまでまさかいないだろうな！
COFFEE
アンギラス
使用中

いらっしゃいませ
TRIO

ふう
ここにいりゃ
安心だ

ははは
ついでにスケジュール表を整理しておくか
えーと…

そうそう!
昔は学校よくぬけだして遊びにいったっけなあ
そうそう
体育の先生に見つかり思いきりなぐられたよな

今思えばみんないい思い出だな
まったくだ!
あとになってみるとすべてがなつかしい

ハハハ
ははは
9日が立石四丁目
10日は白鳥と西亀有
11日は…
非番と……
(52年度) 進行スケジュル表

おまえもたまにゃ公園前派出所に遊びにこいや

いやあ駅前ってのはいろいろいそがしくてなあ……

ははははは
15日が
小学校で……
えーと
やい　おまえら
もう少し
しずかに
話せんかっ
なに？
あっ
ははは
もう
さっきから
うるせえ
なあ！
頭にきた
ババッ
あーっ
警官!?
赤の
水玉
シャツ
犯人
だぞ
なに
ダダーッ
あっ
まて！
このー
つかまって
たまる
か！
くそ
まて！

めったにない チャンスだったのに…… くやしいなあ
しかたない 両さんの所へいって ひきかえすか
Coffee アンギラス

もう これで 1 2年は 機会がない だろう なあ
あー

ドドーン
うわーっ!!
いてえ

寺井! そいつを 逃がすな
あーっ! こいつは さっきの男 だ!
あっ さっきの お巡り!

ま まて 逃がす ものか!!
ギュッ
死んでも はなさん ぞ!
手がらに なるか ならんかの せとぎわだ 逃げられて たまるかっ
意地でも つかまえて やる!

これをのがすと一生ヒラでおわるかもしれん！なんとしてもこの犯人を！
そんなに首をしめるんじゃない！ニワトリじゃあるまいし
ガチャ

あっ このバカ首に手錠をかけやがって手にやるんだ手に！
そ…そうだった長い間使わなかったものだからつい…
く…ぐるじい…

ガチャ

じ～ん
この感触！警察官として感無量だ！

これから先このようなチャンスがいつめぐってくるかわからない
手錠をはずしてもう一度この感激を体験しよう
そんなー

ガチャ

じ～ん
心の奥にしみるこのさわやかな音カンゲキ！

いつまでも心にやきつけておくためにまた はずしてもう10回ほど……
おい！いつまでかかっているんだ寺井！
いててて

なんだと！おまえ 一度も犯人をつかまえた事がないだと!?
ま まあ…拝命して13年目今回が初めてで…
な なんと！おれもヤキがまわったな

おまえ いままで警察官になってまったく社会のために何ひとつ役にたっていなかったのか!? 13年間いったいいったい何してたんだ!? え!?
そうだ そうだ 何してた
おまえみたいなのがゴロゴロいるから警視庁は赤字なんだ! 役たたずはまとめてクビにしたほうが…
そうだ! そうだ! この役たたず
そんな… ひどい いいかただ! ほかに仕事もあるのに!
てめえ! コソ泥のくせにえらそうにいうな! このバカ!

それじゃ逮捕手続のやり方を教えてやるついてこい! もうすぐパトカーがむかえにくる
両さん! ちょっとたのみがあるんだがなあ
あそこの3分間写真で記念に犯人と記念撮影をしたいんだが…いいかな?
3分!
ROOM
かってになんでもしろ!

もうすんだか……? いくぞ!
ん なんだそりゃあ……?
あの犯人はとてもいい人だよ! 逮捕記念にどうぞ…とサインを書いてくれたんだ
あのコソ泥めちょうしにのりやがって! くそう!

POLICE STATION
極左暴力取締本部
出入口

警務課

はい記入しました
はいごくろうさん!

こ これで全部手続がすんだのかな?
そう あとは令状請求にいって逮捕状をもらうだけだ!

しかしひとりつかまえるのにも手続が大変なんだな
なんたって親方日の丸は書類が大好きな所だからな

どうぞ派出所までパトカーでお送りします
うむ! そうかごくろう

いやあ
寺井くん
よくやった
ぞ!

いやあ
部長に
それほど
いわれる
とは……

これも
ひとえに
部長の
ご指導の
たまもの
つらい
なあ…
そんな
本当のこと
いったり
して…

じゃ 部長
お祝いに
いっぱい
……ね
ばかもの
ちょうしに
のるな
!!

よし
それじゃ みんな
奥へこい!
お祝いに
まんじゅうが
用意してある
さすが
部下思いの
部長だ
さっそくゴチに

お茶でものみながら手がら話でもきくか!?どうだ?
今回は駅前の野口さんにも協力してもらったんです
そうか!じゃ班長にも礼をいっておかんとな……
部長!そのことでおかしい話があるんですよ…
野口の派出所の自転車がかっぱらわれましてね……
なんだとそんなばかな!
ここだな兄きをつかまえた派出所は…兄きのかたきだやろうどもそれ!

まったくバカな警官ですよねははは

気づかないなんてねえ……部長!

ひっこしですかな?
さあ?

ははははは
上司の顔がみてみたいもんだな
ゾロゾロ
まったくああいうのは署のはじさらしですよ
あっ
翌日
ない！みんななくなっている
あっなんだいったい
まさか!?

しかし部長これから暑くなるし……
風通しがよくていいじゃありませんかね!?
さっぱりして…
さっぱりしすぎだ！留置場じゃあるまいしおまえこのカベに頭たたきつけて死ね！

★週刊少年ジャンプ1977年20号

敵もさるもの!!の巻

先輩！
そんなに
ひっぱっちゃ
だめですよ
うるさい
だまれ！
ゴォーー
一級河川
江戸川
EDOGAWA
建設省
警視庁

もっと
充分に
ひきつけて
からじゃ
なきゃあ
じゃか
ましい！
まかせて
おけい！
グイッ
バシャ
すごい
鯉ですよ
先輩！

中川
今夜は
鯉コクだぞ

グッ
グッ
ッ

グゾッ
うあっ
先輩〜〜!!

ゴキ
先輩!
つりザオ
はなしちゃ
逃げられちゃ
いますよっ
ば…
ばか…
それ
所じゃ
ない…
本官の
大切な
所を…

絶対
つかまえ
てやる
うてーっ
ドギャッ
ドギャッ

ドギャ
ドギャッ
ギューーッ

くそっ
うちつくしたか

先輩
どいて！
チャッ

ズドドドドド

先輩！
どうです
あたり
ましたよ
やりすぎだっ
あとかたもなく
ふっとんじまった
じゃないか！

そりゃあ
戦闘機だって
うちおとすくらい
ですから
多少のことは…
あっ
先輩！

そんなにいじけないで楽しくやりましょうねっ……
やだっ魚はわしをバカにしとる

そんなことないですよ……さあ　さあ

ほーらおちつけば運は天からまいおりてきますよ
そ…そうかもう一度がんばるか……

今度こそ大きいのをつり上げて…

ん!?

もう
とめるなよ
絶対に
おれは
帰るぞ!!
先輩
鯉コクは
どうなるん
です?

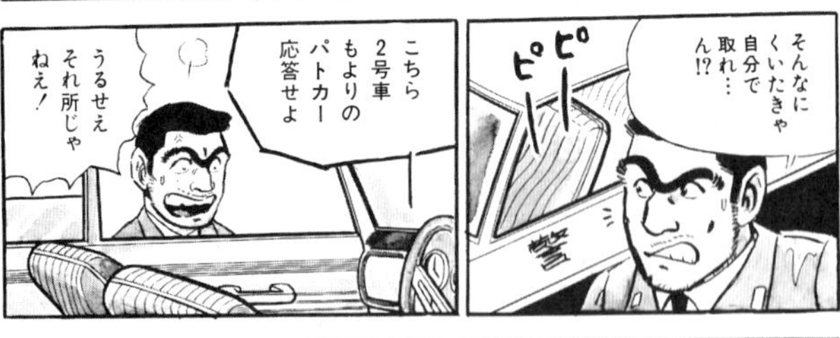
そんなに
くいたきゃ
自分で
取れ…
ん!?
ピーピー
こちら
2号車
もよりの
パトカー
応答せよ
うるせえ
それ所じゃ
ねえ!

お巡りさん
橋の上で
事故ですよ!
早くきて
ください

なるほど
事故だ………
ブブー
50
さっき
おちてきた
車の相手の
ようですね！

先輩
そろそろ
もどらないと
時間ですよ
…………
わかっ
とる！
ブブー
プァー！

ブロロ…
よし！
この車を
川に
つきおと
せっ!!
え？

橋のまん中は
東京と千葉のさかいだ
この車を　むこうに
おとせば　千葉県警の
管轄となる………
千葉県
（千葉県警）
江戸川
東京都
（警視庁）

なるほど
むこうで
おきた事故に
するわけか…

そのとおり
早くしろ
中川!!
50

ウ〜〜
む!?

くそ！
もう少しの
所なのにな
県警の連中が
きちまったぞ
ブルルルルル‥
ウ〜〜
よいしょ

こら　バカ！
中川　いつまで
おしてんだ
やつら
みてるぞ
やめんか！
……?

あっ
こりゃどんもごくろうさんすっ
なんの なんの
ぬはははは
じゃ中川
あとはまかして帰ろうか
………
そ
そうですね………
あんのう
駐在さんよ
ん?
何か用か!?
この事故はあんたらの管轄だがね
ここまではわスたちでよ
ここからは警視庁のもんだがね
ばかいうな!
まん中はここだ ここ
だから県警の管轄だ!

そんなことないスよ たスか130メートルくらいの所だから……
だまれ! 運転席は完全に千葉県側だっ!!
しかし中身の人が東京よりにいるし……
それじゃあここからつきおとしてどちら側に流れつくかできめよう!
そりゃあ千葉側にむいてるから不利だんべ
じゃあ先におちた車はこっちでめんどうみるからこっちの車を… …あれ!?
50
どっかに流されたかな?
ザーーッ
流れが早いだべこの川は…
まったく先輩も先輩だけど県警の連中も……

グラッ
あっ!
中川 スキをみて なかなか やるじゃ ねえか
いや… ぼくは べつに… その…
流れてけーっ 東京の方に 流れてけー いけーっ

くそー 千葉だあ よーし その調子 がんばれ
くるなー むきさ かわれー むこういけっ
………
しずん だか… ………

車は しずんでも 事故は まだだべ…… ちょっくら 部長の所へ きてくんろ
よーし いってやろっ じゃねえか クソ!

ふーむ
なるほど
事情は
よーく
わかり
まスた
50

こまったスね
あそこは
きわめて
判断スにくい
所だス……
だからオッサン
警視庁の管轄は
20センチむこうに
なってんだっ
スかたない
事故処理の
書類を
つくってくれ
ハッ
勝った

中川
せっかく
ここまで
きたんだから
あそんで
いこう
それも
いいですけど
いちおう派出所へ
電話を………

それも
そうだな…
電話を
借りたいん
だが!?

電話?
まだ　ここは
とおってない
ばってん
また
じょうだん
を!

そういえば
東京では
いよいよ
カラーテレビが
発売される
そうだども
…………
みたこと
あります
かいのう?

カラー
テレビ…?
そんなの
派出所で
しょっちゅう
みてるよ

えっ
もっている
だべか!?

本当かね!?
あんな高級品
を…すごか
くらしば
しとるん
ですなあ
本当に
色さ
ついてる
だべか?
長いこと
みてると
目まいがすると
いうのは
迷信かいの?
NHKの
「若い季節」も
総天然色
だべか?

市長さんの家に やっと大型白黒テレビがはいったと騒いでたのにのう
やっぱ東京つう所は文明が進んどるねえ〜
すごかねえ〜〜〜
どうなっているんだいったいこりゃ？
さあぼくにも

そっちの若い婦警さんも同じ交番かの？
婦警？

じょうだんじゃないよ婦警じゃないよ 男だよ!!
男!!

ほう男…なんでまたトウモロコシみたいに毛を赤くしてるだ
ズボンもラッパになっちょるとね……
村まつりの演芸会にでるようなかっこうだべ

コれが東京のモボっつうもんだべ
きっとこのかっこうで村の娘さささそってツイストでもおどりにいくとね…
先輩 ここはかなり時代がおくれているようですね

力道山のプライバシー全公開なんてのがのってるぞ
力道山のすべて!!
新発売!! 電気冷蔵庫 電気でひやします
かみつきブラッシーは人間なのか?
今どんな歌がはやってるの？
そうじゃね「おとみさん」なんていいね新人歌手の春日八郎ってのが歌ってるとよ……
あの春日八郎っていうの わてはのびる気がするんやけどどない思いますか巡査はん？
どないって…
わたスはこまどり姉妹と太田裕美のファンなんやけど東京ではどちらが人気ありますかの……？
先輩時代も方言もメチャクチャですよ……
マスコミもメチャクチャだぞ……来年の新聞がでてる
そりゃもちろんだべ伊藤博文さん!!でっしゃろ
あほやな今年から泉谷しげるになったとよ
やっぱ部長は人格者だべ
おまえたち現在の日本の首相の名前しってるか？
中川悪い夢をみてるんだ帰ろう……

そんなに
いそがなくても
よかんべ〜〜
もっと東京さの
おもしろかこと
話してつかあさい
ねっ　ねっ……
どこの
生まれだ
おまえ?
…………

せっかく
だから
酒でものんで
いってつかあ
さ、…………

酒……★
わるく
ないな

ウィ〜〜〜
みんな!!
職務を忘れて
おもしろ
おかしく
いこう〜〜〜
おい　中川
どうしたっ!?
おまえも
のめえ〜っ
のむとすぐ
あれだもんな
まったく
ハジだよ……

それにしても
ここにある漫画
ずいぶん昔のだな
魔神ガロンとか
ビリーパックなんて
のがでてるぞ
なんだと?
警視庁を
バカにする気か
テメ〜〜〜〜

なんズラ
あんただって
県警を
いなか者だって
いったでねえか
うるさい!
こっちとら
江戸っ子だ
文句あっか!!
まあまあ
先輩
おちついて
ほんなら
てっぽうで
勝負
すっか!?
のぞむ
所だっ!
こっちにゃ
おまえが
ついとる
からな…

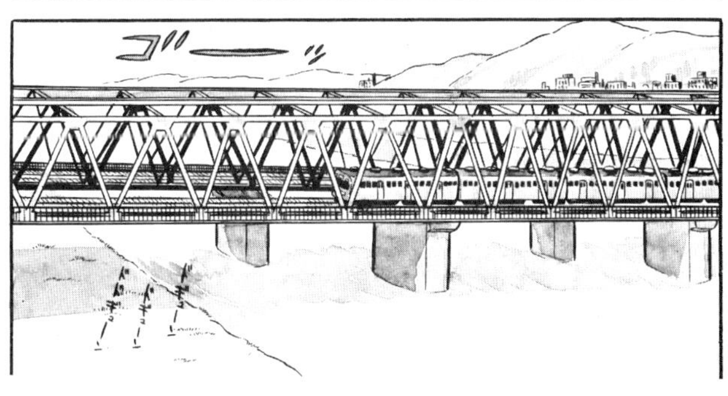
ゴォーーーッ

5発中
4発命中
か………
ガタン
ガタン…

どうズラ
部長は
県警一の
うでズラ
うるせえ
こんどは
こっちの番だ

中川
警視庁の
メンツが
かかってる
ぞ!
はい

ガガガガガガ
ガガウーン
ガン
ガガガーン!!
キャッ

★週刊少年ジャンプ1976年50号

タバコ屋の洋子ちゃん…の巻
押ボタン式
亀有公園前
年末防犯週間

寺井! このロッカー動かすの手つだってくれ
はい
よし もう少し前へ…
おや……?
なんだ? こりゃ…… こんな所に
必勝競馬道 プロにすすめる最新厩舎情報!
新刊ラブレターの書き方… これであなたも彼女とバッチリ…
おい! おまえのかこの本は?
と… とんでもない ちがいますよ

まったく
目が届かない
と思って
こんなもの
を………
このつつみ
は…?
ガサ
ガサ

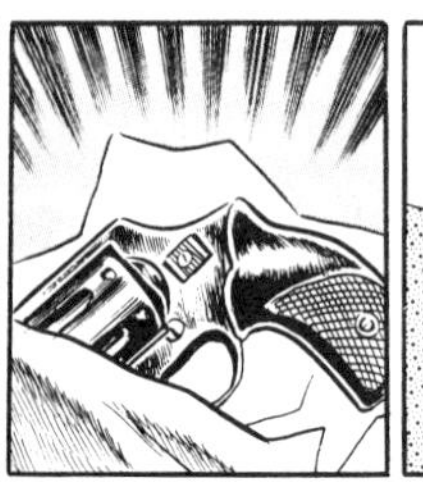

なにっ

こんな所に
拳銃をかくす
とは………
なんのマネだ
いったい!!
しりま
せんよ…
私は!!

警察では
数少ない
S&W(スミスウエッソン)の制服用
拳銃か…

No.(ナンバー)2345678
…みおぼえが
ある数字だな
……たしか
これは………

!
やつの
拳銃だ!!

両津!!
両津は
どこだ!?
外で
水くんで
ますぜ

ザザー
もーしもーし♪ タバコをください おじょうさーん♪ 今日は 非番の にーちょうびー なんてね…
おい 両津 ちょっと こい!
なんだっ てんだ? えらく気合い はいってたな

なんです 部長? 用事です か?
この銃は おまえの だな!? え 両津
あっ それは
やはり そうか こんな所に かくして
銃がない はずなのに ちゃんと装備し てるな? どれ みせてみろ

な……
この銃は?
いや その
あの拳銃が
こわれたもんで
かわりにと…
かわりにだとっ
そうカンタンに
拳銃が手に
はいるはずが
ないだろう!!
どこで手に
いれたんだ
え!?
あ
あの…
中川に
中川が
どうした
中川に
古いのがこわれた
っていったら
くれたんです
命中精度バツグン
だって……

中川は
どこだ
!?

さっき
ゴミすてに
いったよう
でしたが!?

まあ 私たち
ドライブに?
ほんとう
ですか!?
仕事が
終わったら
ぼくの車で
海をみに
いこう!

あっ部長
中の片づけ
すんだん
ですか？

ちょっと
こい!!

ちょっと
とりこんで
いるから
あとで
ゆっくり

な なん
ですか!?
部長!!
銃の
件だ！

この銃を
両津に
あげたという
のは本当
か!?
ええ
……
本人は
すごく
喜んで
ましたよ…

どこで
手にいれ
たんだ!?
おもちゃ
ですよ！
子どもの
おもちゃ
です

まったく
まぎらわ
しい事
ばかり
して……
何も
ないより
マシだと
思って！

あ…あ 血圧が 血圧が…
部長! だいじょうぶですか? 気をたしかに
何か ぼく 悪いことでもしたのかな?
ここで少し休んでください 働きすぎですよ 部長ま……
マージャン 実戦 パートII

どうした 部長は? 悪いものでもくってあたったのか?
これだものなあ 気のどくな部長……

おーい 両津!! このゴミをすててきてくれ
病院 (601) 253

なんでわしがいくんだよう
おまえが一番ヒマそうだからな……

ちぇっ これだから大そうじはいやなんだ まったく
冬の交通安

寮のそうじもまだやっとらんし……
正月のおせち料理もまだかってないし……
こっちも忙しいのになんで派出所のそうじを…
くそったれめ
ゴミ入れ
少しここでさぼっていこう!
いやここだとみつかるおそれがある!

このへんにかくれていよう
近よると目立つじゃねえか!むこうであそんでろ
シッシッ

そうだよな
世間様じゃ
もう仕事
おさめだ
今ごろ
働いている
のは我われ

ほかの公務員
も休みに
なったと
いうのに
なんで
わたしたち
だけ
働かにゃ
ならんのだ

いて！

お巡りさん
ボール
とってよーっ

くそっ
あやまりも
しないで

くら
えーっ

うわっ
ビュー
わあ
ーっ

どうだ
おどろいたか!
へへへ…
今のボール
すごいネ
お巡りさん
野球ずいぶん
やってたんで
しょう?
エースだったの

そ
そうか
わかるか
やはり……
むふふふ
ねえ
ぼくらの
ピッチャーやって
お巡りさん
グイッ
グイ
ちょうど
いいのが
いなかったんだ
早く!

よわったな
本官は
野球など
まったく
しらん…
お巡りさん
なら すぐ
プロ野球でも
通用するネ
そ そうか
わしに
プロの
うでが
あるか!!
そうだろう
とも!
よし さっそく
いってやる
よかった
——っ
うわっ
バンザイ

ところで どこに 投げるんだっけ? ちょっと ど忘れ してな…
むこう だよ… バッターの 方だよ
ズ
ザ
よし いくぞ
ビュ
どりゃ あーっ
パカッ
何すんだ よう!! お巡りさん
何って!? いわれたとおり バッターに なげたんじゃ ないか!
みごと 命中!!
ちがうよ あのすわってる キャッチャーに むけて 投げるんだ よ………
それなら そうと 早くいえっ

警視庁のエース両津巡査長の第2球……
投げました!!
パカッ
今度こそ命中!!

なんで顔めがけて投げるんだよ！お巡りさん
顔をねらっちゃまずいのか…ちがったか？ん………？
グローブの中に投げるんだよ……本当に野球しってるの？
そ そうだ今 思いだした…ははは

スポーツはパチンコしかやったことないからな

第3球モーション
ブン

先輩！
なに

しまった!
うわっ
先輩も
悲惨なこと
しますネ
………
わあ〜
わいわい
バカッ
おまえが
へんな所で
声かける
からだっ!

なんでおまえがここにきたんだ
先輩をさがしにきたんですよ部長にいわれて！
今大変なんですよっ！
天井にかくしたウイスキービールはみつかるし
タタミの下のアメリカ製のポルノ誌が全部みつけられて……
そんな所そうじしたのかっ
部長はあれでマメですからね
今カンカンですよ

それじゃ消火器の中にかくしたマージャンパイもみつかったかな…？
わしゃ帰らん！にげる
そんなあひとりだけするいですよ先輩！
だから始めから部長と大そうじはいやだといったんだ
今日やはり休めばよかったよ
いまさらおそいです
さあいさぎよくもどりましょう先輩！
つれて帰らなかったらぼく殺されますよ！

☆!?
コッ

せ先輩!

そのまま両手をあげろわしは自由なのだ!
なんで暮も正月もなく警官だけ働かんといけないのだ
政治家だって休むんだぞ警官も休むべきだ
安い給料でそんなに使われたんじゃかなわんわしはにげるぞ
そんなことぼくにいってもしらないですよ

あっ先輩
タッ
ッ

部長によくいっとけっ!

くそ逃亡も楽じゃないわい
ムー

ん!?……
サッ
サッ

そ…そうか!!
こんなぶっそうな物ふり回していたんじゃみるわけだ
ただでさえこの制服で目立っているのに………
あっ
そこに車をとめちゃいかん!
駐車禁止だぞっ!いかんぞ!
いかんいかん
じつにいかん!

フーッ
あー いやだ いやだ…
なんで わしは 警官になったんだろう
この付近は痴漢が出ますのでご用心下さ
ゴミの日

じつに きつい仕事だよな よくつづくよ まったく
ひとえに 正義感が ささえている………

ぐおおっ
きゃあーーっ
うわっ

よく これで 警官が つとまる なあ…… しかし

しかし こんな所で ウロウロ してても しかたない
よし あそこで ヒマつぶす かな……
Coca Cola
2F・コーヒー＆定食
イボコロリ
たばこ
あら 両さん どうしたの 今ごろ
いやあ バーサン 元気かな ははは

上は 休みだよ 正月3日 までね！
コーヒー
イボコロリ
なんでえ せっかく きたのに クソ
服きてる けど非番 じゃない 様だね？ パトロール

えっ？ そうそう パトロール ちょっと 時間が あまった もんでね
しかし バーサン所 がめつく もうけるネ 大みそかも やるの
年よりは ここにすわってるのが楽しみ でね…… そのつもりだよ

ただいま
——っ
あら?
両さん
いらしてたの
こんにちは
おう
2階 喫茶
洋子ちゃん
来年は
高校かい?

そうだね
もうすぐ
16だから
ね……
まったく
だんだん
色っぽく
なってきた
この前も
きいたが
婦警に
する気は
ないのか
ん!?
やっぱり
やめとく
よ……

なんで?
今 人気
あるんだぞ
婦警っての
は!
だからわしが
口をきいて
あげるから…
それ
に…
両さん
みたいのが
いると思う
と…安心
できない
からねえ
な なんだ
人が親切に
いってるのに

両さん
ちょっと
お願いが
あるの……
ん!?
たばこ

へへ
どうやら
洋子ちゃんは
のり気
らしい
な…
残念
でした
バーサン

なにっ
両津が
にげたあ

はい
つかまえ
たんです
がネ
銃で
おどかされ
ただと

けしからん
ひとりで全部
そうじさせ
てやるっ!
きっと
なじみの
サテンあたり
ですぜ!

もう一度
いいますが
全部両津
ひとりで
やった事
ですぜ
わかっ
とる!

へへへ　いいぞ
ほかのもみんな
両津に罪を
かぶせて
やった!
ひでえ
な…

★週刊少年ジャンプ1977年１号

交剣知愛…の巻
警視庁
警察署
POLICE STATION
警察官募集
名糖牛乳
コーヒー
Dr Pepper

キキキッ

少し早いが上で練習しよう 今日は剣道大会だからな
ドカッ

あっ!

中川もう少しましな止め方できんのか
おい こらっ

おまえらは暴走族か!? 警察署の前で事故をおこすとは 全く……

暴走族じゃありませんよ警察官ですよこの連中
本当か……？
いやあどうも…中川のバカが運転がヘタなもので…

さあいこう時間がない！
おいちょっとまて！

は!?
そこの若いの！そんな制服で警察官といえるか!?

急いでいるんであとでゆっくりと
小さいのもそうだ！サンダルで署にくるとは何ごとだ！

むっ！ち…小さいのだと…

大きかろうと小さかろうと大きなおせわだ！このデブ
デ デブだと！上司にむかってそのいい草は…

まあまあ
時間がないから
急いで!
くそっ
なにが上司だ!
えばりやがって!
道場
講堂
3階
会計係
警ら係
防犯係
2階
ガラッ
第19回
恒例年忘れレクリエーション
対抗剣道大会会場
主催・警ら第二係
まだ始まってないようだな…
対抗剣道大会会場
たあーっ!!
オリャーーッ
とう!

おかしいな
人数が少ないみたいだが……?
おい両津!
あ部長!
こんな早くからきてずいぶん気合いはいっとるな いやけっこう

こんな早くって…四時からじゃあ?
そうだが今はまだ三時だぞ一時間もある
おいこら中川!
どうも時計が進んでいたようです

おかしいな四十万円もしたのに…ちぇっ!
安物買うな安物を
両津!きがえろいっちょもんでやる
はあ

あれ？先輩きがえないんですか？
じょうだんじゃねえ！イライラしてて練習なんてやる気しねえよ！
練習しといた方が試合の時にとくですよ
うるさいいかんといったらいかん！
今年は見物客が多いなあ
交通課の婦警さんたちもきてるぜ
ハッ
休んでいるんじゃなかったんですか？

なにいってんだ わしが いつ そんなこと いった!?
心技体とも 気合いが はいっとる わははは
おまえも 早くこい!
おそろしく 気合いの変化が はげしい人 だなあ
きえ～っ
中川

おおっ きとる きとる
たあーっ
ビ
ウリャ
両津
さあて いい所 みせる かあ
先輩 練習しま しよう
おう

な なんだ
その防具
は…？
三宅三生にデザインしてもらったんです
今日の大会用にいいでしょう⁉
面や胴を
たたかないで
くださいよ
キズつくと
いけないから
それから
コテと……
どうやって
練習
する気だ
NAKA
GAWA
中川
じゃあ
かる〜く
やりま
しょうよ
よし

どあ!!
おい！もっと右によれ右に！
えっ？
婦警がみにきてんだよおまえわざとまけろなっ！
そんな！
来月の夜勤かわってやるいいかわかったなうまくやれ
それなら！
ズダダダダ…
おりゃたあーっ
いてえ——っ

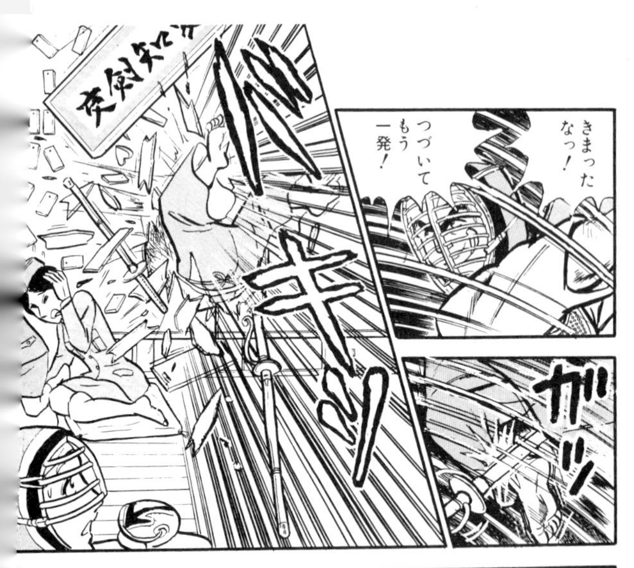
きまったなっ！
つづいてもう一発！
ガッ
キーン！

先輩だいじょうぶですか……そんな所にとびこんで
いててつい気合いがはいってな
両さん女の人が応援にきてるよ！
なに本当かむふ
それじゃちとあいさつしてくるかな

どうも
両津です
お忙しい
所を
わざわざ
……
なんでえ
女の人って
バーサンの
ことか？
がっかり
させやがる
なんか
不満そうな
口ぶりじゃ
ないか
せっかくきて
やったんだよ
なんだい
両さん
いやだよ
そんな
あらたまっ
てさあ
洋子も
むこうに
きてるよ

クラスの子も
応援に
つれてきた
からネ
いい所
みせて
両さん
うおし
まかせて
おけ！
ははは
ババッ
去年の大会
では4人ぬ
きやったの
よ両さん
いやあ
相手が
弱すぎた
んだ
相手が！
今年も
東軍の
方が…
…!!

うわっ
ギュッ
いてっ

きさま
この〜
ん!?
あははは
元気があって
よろしい
けっこう
けっこう

平気
だったの
両さん?

なんの
これしき
剣道という
武術は平常心を
きたえ少しょうの
事でも動揺せぬ
平素の心をたもつ
スポーツだからな

わしぐらい
になると
もう人間が
できてる
から…

あ あの
すいません
また
やっち
まった
両さん
しっかり
して!

基本がなっとらんようだねえすこし教えてやろう!
それじゃ洋子ちゃんまたあとでね
じゃあ試合がんばってね!
へえー警察官の人って心がひろいのネ
あたり前よ人間ができているんですもの
ガキッ バキッ バ ボキッ ビッ

こ…これが基本なのかなあ?
部長!どうしたんです!元気がないすね
さっきまであんな元気だったのに
じつは見学に娘がきているんだ
えっあの女子大生の
それがなよくないんだ…両津

男をつれてきとるんだ男を！
な
なんですと！男を！
あの年までへんな虫がつかぬように手塩にかけて育ててきたのだが
くそおぉ〜〜〜っ
そこで両津にたのみが
きみのパパはどこだい
それがさっきからさがしているんだけど…？
それじゃ部長！うち合わせどおりに
うむたのむ
たあっ
だあっ
うわっ

いやあ
すまんすまん
いたかった?
やはり
いたかったろう
そうだろうネ
ねえ
だい
じょうぶ
へい気!?
は…はは
ひろみさんの
そばなら
こんなキズの
10や20
まあ
気がつかない
ようですな
娘さん 部長
だってこと
面を
つけとる
からな
それより
………

さっきより
仲がよく
なった
ようだな
?
ななに
くそ あの
スケベ男
め!
今のじゃ
手ぬるいか
よ ようし
ちょっと
まってくだ
さい!

どうも
おまた
せ……
ん!?
なにを
かくして
るんだ?
ちょっと…
ば ばか!
そんな物
もちだす
な!!
しかし
このさい
決着を

また同じ手で いこう 迫力を つけてな
今度は あっしも くわわり ますぜ

本当に いたくない の?
もう なんでも ないよ

やあ
たあ
しかし… またイヤな ムード だなあ

部長 そろ そろ
いや まだ まだだ

娘が横を むいたスキ に………
ん!?

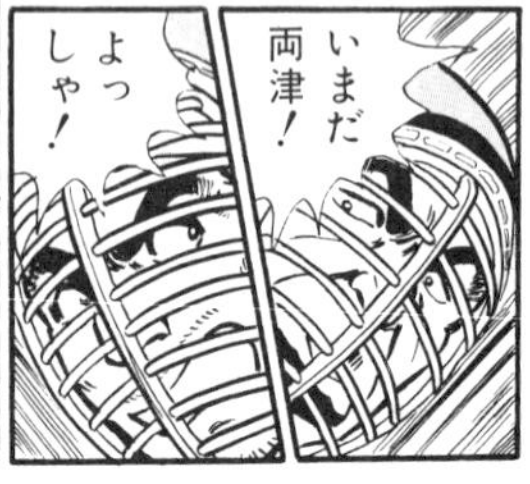
いまだ 両津!
よっ しゃ!

うぎゃあ ああ……っ

うぎゃあああっ
いやあ すまなかった つい稽古に熱がはいってな… 人がいるとは気がつかなかった
私も全く気がつきませんでした
フニャ

ここでもう一番思いきってやろう!
そうですね めいっぱい力をこめて!
ジリ
ジリ
ジリ
たすけてくれーっ殺される
小林さん!!

しょくん！ えー ただ今から第19回年忘れ剣道大会を おこないます！
各自 所定の場所へもどるように なお試合終了後この道場で毎年恒例の忘年会をやりますから………
両津

いいタイミングでしたね部長！
これで少し胸がスカッとしたよ うん！
東軍

ビッ
たああーっ
とう！
石川

はじめっ

たあーっ
どりゃあーっ
わが東軍はメロメロだな…
そうだね…
勝負あり西軍!

東軍警ら係寺井巡査
えんりょなくたたきのめしてこい
むこうで勝ち進んどるやつは…と
警備課岩田警部補五段か……ふーむ
このへんでとめんとな……
両さん出番だよ…
ん☆なんだ寺井早く試合にいかんか
負けたんだ
なんだとっ!?

まったく
どいつも
こいつも
だらしねえ
東軍
警ら第一係
両津
巡査長
あっ
さっきの
サンダル男!
岩田

あっ デブ!
きさまか
わが東軍を
コケにしてる
やつは!?
ちょうどいい
さっきの借り
も まとめて
ここで
かえして
やる!
ぺっ
なに!
ほざいた
な!

両さん
がんばって
ねーーっ
おう
まかせて
おけっ
岩田係長
これで
四人目
ですよ
あんな者
すぐに
たたき
のめして
やるよ

はじめ——っ
この野郎
上段に構え
やがって…くそ
みくびるなよ
こっちから
攻めこん
でやる
たあっ
うっ
うおお
りゃあ〜っ
でやあっ
とりゃあ
おりゃあ
ちっ
ちく
しょう
なんて
バカ
力だ！
調子に
のるんじゃ
ねえ！
この
デブ！

あたっ!!

いやあ
すまん
ちょっと
手元が
くそ
そっちが
その気で
くるなら
よーし!

はじめーっ
たあ
あーっ

うわっ

グイッ

すまん
ちょっと
足が
すべってな
く
くそ!
りょ
両者
中央に
もどって
はじ
めー
うわっ
ガッ
どりゃ
あーっ
あっ!
わるい
わるい
ちょっと
体が
すべってね!

いやあ
なんの
なんの
ガチャ

おりゃああ!!

面!

おや?
うっかり
していたな
これ……
竹刀じゃ
なかったの
やろう
っ

こうなりゃ
とことん
やったろう
じゃ
ねえか!
バァーン
ぐわっ

おばあ
ちゃん
また
両さんの
悪いクセが
でたねえ
ざわ
きゃあ
わあ

ゴロ
ゴロ
くそ!
こいつ
めっ!!
ドタ
ドタ
なに

★週刊少年ジャンプ1977年3号

にくいヤツ!?
の巻

ふう〜〜 さむい さむい まいった まいった
ガラッ
ヒュゥゥゥ
やあ 中は あったかいぞ!

おい 早くしめろ! せっかく あったためたん だからな

チェッ なんていい方だ こちとら この寒さん中 パトロールして きたんだぞ

そんなの そっちの かってだ こんな日に 外にでるのが バカだ
くそっ

両津みたいな のが いっぱい いたら 規律は みだれるん だろうな

?★ ?☆

何か いったか ?
いや… べ… 別に…
地獄耳 だな… このバカ

それにしても
えらい寒さだ
この派出所にも
セントラル
ヒーティングを
つけなきゃ
いかんな
だろ！
先週から
部長に いって
いるんだが…
あのガンコ
じじいめ
せめて
パネルヒー
ターくらい
ぜひ……
おい 寺井
そんな所で
何してるん
だ!?

いや
ちょっと……
あんまり
寒いもんで
少し……
あっ
こいつ
酒をのんで
やがる！
こういうのは
みんなで
楽しまにゃ
いかんぞ
なっ
なんだと
きさまっ！
勤務中に
酒なんぞ…
中川！
何か
ビンを
さがせ！
小さい
やつだ

こんな物しかありませんけど……

上等上等へへへ
何するんだ両津…

冬はなんたってあつカンが一番だ！
顔に似あわずやる事がこまかいな

しかしそうなるとつまみにいいししゃもでもほしくなってくるな…

先輩それより何かたべましょうよ

めしか……モリソバもあきたしモヤシソバもあまり……もっとあったまる物は……

そうだ！スキヤキだ!! ここでスキヤキを作ろう!! つまみにもなる!!
えーここで……本当ですか先輩!?
そいつぁいいアイデアだ せっかく みんなあつまったことだし

じゃ おまえたち 肉かってこい さっそく 用意してやる
肉って…………… 金は？

きのう 小学校のガキが 募金だといって もってきた 金があっただろう!?
持出禁止

両さん そりゃちょっと まずいよ…… 募金を使う というのは…

何いってんだ やつらは社会の 役にたててくれ って…もって きたんだ
我われ 警察官は 年中無休で 都民のため に働いて るんだ
その我われが 借りることが 悪いのか？

ムチャな 理論だな
おっ 思ったより いっぱい あるぞ…
ジャラ ジャラ ジャ

それじゃ 戸塚 おまえ ちょっと スーパーで 肉かって こい!!
おれも この寒さだ ひとりで いく気 しねえな…
先輩！ くじびきで きめましょうよ それなら いいでしょう

それじゃ 中川 さっそく かってこい
えっ ぼくが？ いやですよ この寒さの 中……

アミダならいいだろ さあ すきなのを選べ
肉
しらたき
とうふ
ねぎ
たまご
他

うわっ ぼくは肉だ!
おれは白たきと… 豆腐か
ねぎと卵かあ 八百屋は遠いなあ

おい 両津は何かってくるんだ?

おれか? 料理をする… だからいいんだよ るす番だ……
ちぇっ いやな仕事はいつもおれたちにおしつけるんだからな

うるせえ さっさとかってこい 早くいけ!

こんな寒い日
外に　でかけられ
るかってんだ
せっかく部屋が
あったまったって
いうのによ……
トントン
トントン

トントン
ん!?
あんのう
ちょっと道さ
ききたいん
ですが……
ガラッ

このバカ
何すんだ!
寒いじゃ
ないか!!
えっ　あ…
道をききに
…その
あんのう…

いちいち中にはい
るな　外からしゃ
べれ　外から!

え　何
なんだ?
なん
だ?
ぱくぱく

ガラッ
あんのうですから友倒れ工業会社は…？
いちいちあけるなっていったろ！
あっ
亀有公園前派出

ヒュウウウウ。
あ あのう道はいいです
じ…自分でさがします…
おせわさまでした！
ダッ

なんてやろうだばかにしやがって！
おかげですっかりひえちまっ……ん!?

お巡りさん 少し ききたいことがあるんだけど
ねえ いいでしょね!?

本官にか!?

お巡りさんの一日っていうの書くんだ だからおしえて…
ガタ ガタ
ちぇっ あとからあとから うるせえ

なんだ 何が ききたいんだ えっ!?

昼間 ここでどんなことしてるの?

昼間か…… そうだなあ まあ……
テレビをみたり マンガをよんだり 平日は競馬を予想したり…

テレビを
みたり
マンガを
みたり…
それと
ケイバ
も……
おい
おまえたち
そんなの
書いて
どうすんだ
えっ?
学校に
だすんだよ
社会科の
宿題なんだ
……
……★
そ　そうか
そうだったのか
いやあ悪かったな
今のは間違いだ
全部うそだ
はははははは
ビリーッ
じゃあ
本当は
……?
よし
それじゃ
おしえて
あげよう
ポイッ
我われ
外勤警官はだな
署内勤務の警官と違い
たえず地域住民に
密着した活動を
おこなう…!…
すなわち
東に
犯罪があれば
すぐ防犯課にまかせ
西に
事故があれば　すぐ
交通課にまかせて
しまうという
じつに多難な仕事
先輩!
牛肉かって
きました
そして
牛肉の
検挙に
力を……

ばか！
間違えたじゃ
ないか
おっ　中川
ずいぶんと
早かったな
パトロール中の
パトカーに乗せて
もらったんですよ
こんな寒い日
歩いて
いけませんよ

なんです
この子たち
先輩の子
ですか？

何いってるんだ
社会科の宿題で
いろんなこと
ききたいって
きてんだよ

わしは
ナベや
茶わんの
用意を
するから
な……
じゃ
ぼくが
この子たち
の相手を
してます

きゃっ
きゃっ
中川のやつ
いがいと
子ども
ずきなん
だな…

わしには
女　子どもは
どうも
なつかんな
むこうで
けギライ
するらしい

戸塚たち
遅いな
ちゃんと
やってるかな

えー
こちら両津
こちら両津
戸塚調達係
応答せよ
戸塚調達係
応答せよ
こちら
戸塚 ただ今
白たきを
調達 これより
豆腐にかかる
どうぞ……
はらへって
死にそう
早くもどれ
どうぞ
了解
全力を
尽くして
もどる！

いちおう
まじめに
買物してる
ようだな
こら！
何やってんだ
部屋の中で！
子どもたちが
撃つ所を
みたいという
ものですから

あーあ
カベに
こんな大穴
あけやがって
もう……
住居表示案内表

いちいち
かくすの
大変
なんだぞ
バカ
ペタ
住居表示案内表

今度
早撃ち
やって
みせて!

早撃ちは
ぼくより
こちらが
早いよ
なんたって
警視庁で
一番早い
んだよ

先輩
子どもに
みせて
あげたら
うるせえ
今は
忙しいん
だよ!

うー さむ
おい ネギ
かってきた
ガラッ
寒い
なあ

さあ
じゃあ
さっそく
……ん?
なんだ
このガキ
ども?
見学です
派出所の
……

そうか
警官に
なりたい
のか!?
よした方がいい
給料は安いし
仕事は
めんどう…
いいことはねえぞ
よせよ
戸塚
子どもが
本気にする
じゃないか

本気って
おれだって
本気で
いってるん
だよ…
本気でな
こんなんで
都民の治安が
守れるのか
……?
さあ
どけどけ
スキヤキ
さまの
お通り
だ！

へへ　さあ
いよいよ
始まりだ
中川　外を
みはれ！
やあ
こいつは
けっこう肉が
多いなあ
スタミナ
つくな…

小学生の募金がけっこうあったからなあ これを機会に…………ちょくちょく
両さん………

なんだよ うるせえなあ
あのふたり その小学校の生徒だよ 募金の……

なぬ？

お巡りさん それ きのう ぼくらがもってきたお金でかってきたの…？

ば ばかなこと いっちゃいかんよ こりゃ ちゃんと わしらの血と汗の結晶で かったもんだなあ みんな
そ そうだよ だんじて そんなことは めったに…いや ぜったいないぞ!!

ねえ 本当かな？
いいわけ みたいだね……

………★

おっ
そろそろだな
さあ たべようぜ
へへ
悪くないな
冬は
これに
かぎるな
うん
なかなか
いけるな
本当だ
両さん
みかけによらず
じょうずだな
味つけは
味平なみだよ

寺井
両津にも
何か
とりえが
なけりゃ
生きていけ
ねえよ
バカ
イヤなら
くわなくて
いいんだぞ
おまえたち
もう きくこと
ないんだろ
早く帰れ
ホラ
さっさと！
でも募金と
スキヤキの関係
についてもう少し
ききたいの…
ジーッ

先輩 ぼくも いれて くださいよ たべながら 外 みてるから いいでしょう
ちっ そんなら ハシと 茶わん もってこい

この分じゃ 肉は1/6か…… くそ！ じょうだんじゃ ない！

いてっ 何すん だよ

戸塚 おまえは 糖尿病なんだ から 少し肉は ひかえめにしろ

糖尿病にゃ 白菜が きくらしい ホラたべろ

こらっ！ 寺井 おまえも 肉は いかん
えっ？

おまえは 少し高血圧 なんだから 豆腐を たべろ
ホラ いっぱい やるぞ
…………

中川！
おまえは
なんだ！
さっきから
みてりゃ
肉ばかり
くいやがって

おまえは
色白なんだから
もっと
白たきをたべて
ビタミンを
とらなきゃ
いかんぞ

白たきに
ビタミン
なんか
あんのか
なあ？

ぼくたちは
ネギたべな
これたべると
頭が
よくなるから
ねっ

なんだよ
そんなこといって
両津の所へ
肉ばっかり
集めて……！

バカ！
わしは
貧血ぎみだから
肉をたべて
栄養を
つけんと
いかんのだ
きびしい
職務で
たおれて
しまうからな
何いってんだ
きたねえぞ

さっきから
なんだ
かんだ
いって
おれたちに
野菜ばかり
くわして
肉をひとり
じめして！
ちぇっ
こういう時だけ
子どもを
だしに
使いやがるんだ
からな
ほらほら
子どもが
みてる！
子どもの
まえだぞ！
子どもの…
おまえたち
ネギをたべると
頭がよくなる
って
いったでしょ
肉は毒!!
体に悪いん
だよ
ぼくらの募金
スキヤキに
なったって
書いて 学校へ
もっていこうネ

わかった
わかったよ
やるから
スキヤキの
ことは
わすれろ！
うわっ
こんなに
たくさん!?
忍耐

ずいぶんおにぎやかですねえ
ゾロ
なんでえフータローかなんの用だいったい

ここ2 3日ろくな物くってないもんでお仲間にいれてもらおうと……
働きもしないでブラブラしてるから帰れっ！
そうですねわかりましたどうせ わたしなんか 世間のきらわれ者ですよ……

両さん また無銭飲食するかもしれんぞ

わかったよくえよ！もうかってにしやがれ！

肉はあんまりくうなよ急にいい物たべると体がビックリするぞ
だいじょうぶですよ肉は大好物なんでしてねえ……

ねえ
募金の
ことなんだ
けど……

おまえたち
スキヤキくえば
全部わすれると
いったじゃ
ないか
うん
わすれたけど
歳末募金に
お巡りさんにも
協力して

いやなら
スキヤキと
募金の関係
書いて学校
に……ネッ
くそっ
このガキ
どもめ

できれば
みんな
募金に
協力をして
ほしいな
えーっ
おれたち
もか!?

どうも
協力
ありがとう
お巡りさん
だんな
また
スキヤキの
時は
よんでね
うるせえ
おまえたち
2度と
くるな!!
ちくしょう
おれ三千円も
とられちまった
よ……
ぼくなんか
一万円も
とられちゃ
った……

★週刊少年ジャンプ1976年51号

この世を華とするために…の巻

キコ
ギコ
ギコ

くそ!
なんて
じょうぶな
ワッパだ
ジャラッ

両津くん
忙しそうだね
わしは署へ
いってくるが
ま 気長に
やりたまえ

わは
ははは
は
くそ!
どうし
たんだ?
両津…

手錠を
かけられて
いるんですよ
先週の水泳大会
で部長に
反抗した
でしょ!
部長も
意地になって
今日一日
そのままに
してろって…

この世を華と
するためにゃ
両津が
手錠してた
方がいいかも
な
けさ
制服きる
のに一時間も
かかったと
いってたけど

ちくしょう
なんて
がんじょうに
作りやがる
んだ!!
オニめ!!

ハハハハハ
ハハハハ!!

きさま
らあ………
人の不幸
を………

笑いごとじゃ
ねえぞ!
このやろう
ども!
本人の
身になって
みろ!
ブーン
ガシャッ

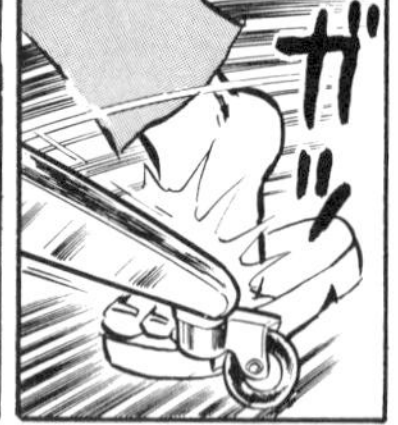
ガッ

ガシャ
いてっ

グラッ

ゴキッ
ぐっ!

あーあ
やった
!
あの
ヘルメットは
鉄製だから
なあ うん

先輩！頭のぐあいどうですか？
うるさい 近よるな いいか なさけはいらん！はくじょう者
先輩 ぼくたちも協力しますよ！
火で焼き切ったらどうですか？
何 火で！
ぼくのライター火力がありますからこれで……
いいですか 動かさないで……
ジャラッ
よし よし わかった
ゴオーーッ
おーっ！いいぞ だんだん赤くなってきた！
ゴオー

ね！ガスバーナーみたいでしょ もうひと息ですよ
ゴオオ

よ よし まっ赤にやけてきたぞ……
ゴオー

赤味がひろがってくさりから……だんだんと………
ゴオー

ぐわあっ
あっちっちっ
ち――――い
手首がこげるっ！
水だ！水！

バリャ!!

顔にかけてどうすんだボケ！
バケツでもってこい！

ジュウ〜〜
消火

ふう
あぶなく
やけどする
とこだった
あと少しだったのになあ…
両津は忍耐力にかけとるよ……

なんか色がかわったぞ!?
今のでヤキがはいってさっきより強くなったんだ
たいしたもんだ
ジャラッ

強くなっただと!? よけい切れなくなったのか!?
切るのをやめてカギをこわしたらどうだ!?

カギ穴ならゆんべひと晩中やったわい！むだだ！
おまえはぶきっちょだからなよしおれが……

ちょいちょいと………

むっけっこうむずかしいなあ……
なんたって警視庁の物だそう簡単にあくか！

おかしいな………くそ！
ば　ばかそうやったらよけいに手にくいこむぞ
ガチャガチャ

あっ
ポキ

いっけね！カギ穴がふさがっちまった　これじゃ本物のカギがあってもあかねえ
ななんだと！

きさまらもういい！ひっこんでろくそー
さっきより最悪にしやがってこの！

あそび半分でからかいやがってくそ！
ヒステリーだな！意外と…

ガラッ
へいおまちどうさま

チャーハンと
ニラレバ
いためと
カニコロッケと
ライス……
それと
ギョーザ
三人前
ね………
ガシャッ
どうか
したか?
い…
いえ
べ べつに
ジャラ

ま
まいど
ありー
ピシャッ
両津
たべるのに
スプーン
やろうか
ん?
うるさい
よけいな
おせわ!!

ちくしょう
ガキじゃ
あるまいし
スプーンで
くえるか!
ん☆
うまい
うむ!

たべものは
苦労して
たべてこそ
ありがたさ
が 分る
もんだ…
今日は
実に
身にしみる
ぞ…うむ
イイ
イイ
なんだ
いったい
ん?
ガラッ
あんの
亀有とん映は
どこだん
べ?
なんだ
何みてる
んだ
おまえ!?
い いえ
べんつに
なにも
………
とん映は
あの信号を
右にまがっ
て……
ジャラッ
そこを
左に
まがり
さらに
しつこく
……
そして
……
ん★
ジャラッ

かくすなよ
この手錠が
気になるっ
てんだろ?
なっ!?
ジャラッ
ええ
まあ…
これはなあ
うちの部長が
つけやがった
んだ
寒中水泳大会
で泳ぐのいやだ
といったらな
はははは
警察ってのは
おもしれえ所
だろう?
フランクだろ
ジャラ
ジャラ
ええ
いつも
派出所で
こんな
ことして
あそんでんだ
おもしれえ
なあ おい
ははは
ははは
ははははは
笑ってる
場合じゃ
ねえんだよ
このバカ!
ゴキ
きさま
今 本気で
あそんでる
と思った
ろう?
いや!
その目は
本気に
してたぞ!!
警官が手錠を
かけあって
喜んでたら
世の中どうなる
と思ってんだ
おまえ!
え!?
なに!?

ガヤ
ガヤ
…………
…………
………★
相手にとって不足はない……
チャッ
いい度胸だ……

きゃあ!
うわあ!
きさまらそこを動くんじゃねえ!

死にいそぎたいヤツはどいつだ!!
うわあ
きゃあ

おまえか!?
ドギュ
ぎゃあ――っ

くそ! にげ足の早い連中だ!

両津 いったい何事だ!?
いや ちょっと道案内をな…

あっ おれのカニコロッケが…!?
いそいでるらしくて さっき さげにきた おまえたべたんだろ?

それにしちゃ ずいぶんとにぎやかだったな!
そ そう しらんなあ 全然…

じょうだんじゃねえ! ふた口 たったのふた口たべただけだ!
そいつぁおしかった いやあ残念!
おい中川 おまえパン買ってこい!
遠いから…なあ……
先輩が自転車でちょっといってくりゃいいじゃないですか
このワッパの手で自転車を運転できると思ってるのか! このボケ
ジャラ
ググイ
そんなことで先輩への義理がたつか バカモン!
おまえ 署に卒配して半年もたつってのに まだ義理と忍耐のこの世界を理解してないようだな え?
先輩のいったことはすなおにきけといっただろうが!!
義理と忍耐がどうしたって 両津くん?

あっ部長おはようございます!
いやなにね中川と話しあいをしてたんですよ…な
ぱっ
ドタッ

もっとおだやかに話しあえおだやかに
そりゃあもう

カレーパンとクリームパンとブタマンだ今すぐ買ってこい!
特急でだ!

本気で首をしめるからなまったくもう
つきあいきれないよ

部長!
ん!なんだ

これ!なんとかしてくださいよけっこう重たいんですよ
ジャラ
ほおーっ変ったブレスレットしとるなあ

両津も最近
しゃれっ気が
でてきたな
今にGパン
なんかはくん
じゃないの
かな…
いやあ
まいった
まいった
ははは
…………
…………
くそう!
人がせっかく
下手にでて
いりゃ
つけあがり
やがって…
そっちが
そうでる
なら……
ようし

部長
お茶
が……
ガラ

あっ
!?
いいから
わしが
もって
いくって!
サッ

あっちっち
ちっちーっ
ジュウウ
うわっ
いかん!
手がすべった
――っ!

バキッ

ジャラッ
ゴキ!

部長
おけがは!?
だいじょうぶ
ですか!?
う
うむ…

お湯を
かけられた
だけなのに
頭がズキズキ
するぞ!?
なんだ!?
気のせい
ですよ
目まいです
きっと…

あいつぁ
やることが
しらじら
しいなあ
……
おそろし
い人……

なんで
お湯を
こぼした!
両津
ほら
これですよ
これ!
ね!

つい不自由な
もんでね
まいった
まいった
ジャラッ
く
くく……

わさと やったな 両津め…
手錠くらいじゃ まいらんと みえるな… よ ようし
両津 すまんが 用事 たのまれて くれるか?
はあ なんで しょう?
ジャラ

タバコを 買ってきて ほしいんだ!
はい よご ざんす よ

そうか! 早く吸いたい のでな… さっそく 自転車で ………

自転車 で!?

先輩 無理ですよ ころんで 大ケガを しますから
うるさい 男が一度口に だしたことだ 今さらあとに ひけるか!
そうだ 両津は 江戸っ子だ からな むふふふ
両方とも 意地っぱり だな…

セブン
スター
でしたな
部長?
そうだ
よし
うしろを
支えといて
やろう

のったか?
手を離したら
スタートだ
いいか…
1　2の
3

ガツ
ガチャ
ドカ
ゴキ

おや!?
どうした両津
あそんでいる
ヒマはないいん
だぞ!?

わははは
なんの
なんの
今のは
ほんの
よきょう
で!

こんな
自転車など
へのカッパ!
かるい
かるい
チリーン
チリーン

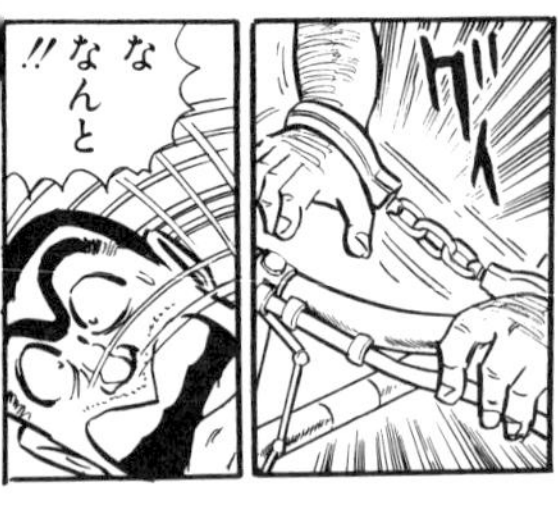
グイ
な
なんと
!!

ズ
あっ
キキッ
ゴッ

何やってるんだあのバカ!
ひさんだなあ…

わははははジョークジョーク
これからが本番でござる!
ガタン

人間 二度も失敗すりゃ立ちなおれるものよ!
みよこの姿!
ゴゴゴゴ…

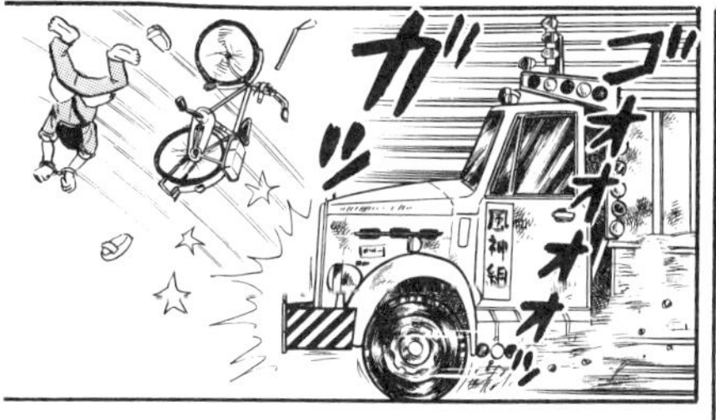
ゴオオオオオ
ガッ
風神組

もうみちゃいられんよ!
中にはいろう中に!
くくくく…

みよ!
この姿!

くくくく
く……
くくく
ひぃっ
ひっひっ
ひひ

おい
みろよ
部長
泣きながら
笑ってる
ぜ……
くっ
くっ
くっ
さっきの
ことだな…
かわいそうに
ほかに
楽しみが
ないからな…

それにしても
先輩
おそい
ですねえ
トラックに
でも
ひかれたん
じゃないの
か?

あ☆

キーッ
チリリーン
ぎゃあああっ
ダーン
部長ー!
グイッ
ガン
?
ジャラ
だいじょうぶですか!?
部長ー!!
ゴトン

だいじょうぶですかあ!?

ダッ
部長!

ガ

体だけは大事にしてください!

部長の好きなセブンスター買ってまいりました! どうぞお気のすむまで吸ってください
ダッ

お味はどうです? 部長?
ん~~
なかなかいけるぞご苦労!

よしほうびに両津にお茶をいれてやろうかな
ドキ
お茶☆

いいや！
けっこうです！

えんりょするな
ただしお湯と
茶が べつべつ
だがな………

ぐわあっちっちっちっ
——っ!!

服が
服が
ぬげないいっ

くそ！
こうなったら
部長も課長
もあるか!!

あっ
ガチャ

同じ苦しみを
味わって
もらいやしょ
う！

あっちちち
服が
服がーっ
ハハハ

★週刊少年ジャンプ1977年12号

消えた派出所!?の巻

くそ!
うるせえな もう少し しずかに できんかっ 勉強中 だぞっ!!
ロックは このくらいの 音できかな いと どうも…
ろくでなし めっ!! パチンコ屋 じゃねえんだぞ

それに さっきから わけのわからねえ曲 ばかりかけて! 歌謡曲か浪曲は ねえのか!?
浪曲…☆ ちょっと…… もちあわせて ないんですが ね………

日本人のくせに進駐軍の歌ばっかりじゃねえか
進駐…
…軍…
おっ こいつは わしも知っとるぞ…歌ってたのか? チャーリーチャップリンは…☆
ちがう! ジャニスジョップリン!

スージー中トロ……なんだ? スシ屋の歌か…? ん!?
スージークアトロ! もう いいです!! やめます
八っちゃんの「おとみさん」や田端義夫の「ダンチョネ節」なんかないのか?
ありませんよ! そんな物!

ウ～～
ウ～～
カン カン
また火事か この所ずいぶん多いなァ
ウ～～
今夜は2件目ですよ
中川! おまえはふしだらだから火の元に気をつけんといかんぞ

もっとも
上司の
わしが
しっかり
しとるから
いいがな
先輩!
うしろ
こげて
ますよ!
こらっ!!
わしのいう
ことを
きいてろ!
パチパチ
だから
おまえは
注意散漫だと
だいたい
おまえは
素行が
乱れとる
から…
パチパチ
うわっ
火事だーっ!!
だから
さっきから
燃えてるって…
何かで
たたいて
けそう!
ゴオオオオ
おっと
これは
わしの
コートか!
AGNES

あっ
それは
ぼくの
コート!

ふうーっ
どうやら
きえたようだ
よかった
よかった
よかあない
ですよ！
ぼくの
コートが
丸こげだ！
90万もしたのに
被害届の
書類が
全部やけて
しまったぞ
そんなもん
どうでもいい
ですよ！
どうせ先輩が
いいかげんに
まとめたもん
だから…
やい！中川
きさま先輩に
むかって
なんという
言動を
はくんだ！
ダッ
事実じゃ
ないですか
事実!!
あっ先輩
部長が
……！
そんな
みえすいた
手にのると
思うか！
本当ですよ
ホラ……
うしろ！
わざと
らしい
んだよ
おまえの
は…☆

あのムッツリスケベでマイホーム主義の部長が今ごろくるはずないだろこのバカ！
え？なに☆

あ〜〜〜〜っ部長〜〜〜！い…いたんですか元気？
ままあな………ところで両津 今なにしてたん!?

いや なに体がなまっていたもんで体操を…なっ中川！

まあ いい今 火事現場からここへきたのだがどうも不審火らしいんだ

えっ!?それじゃあ放火！
いやその線もあるということでまだはっきりせんがな………

とにかくパトロールに気合いいれてくれ！それじゃ わしはかえるからななにしろマイホーム主義だからなっ！
えっ？いえ…とんでもない！だれがそんなことを

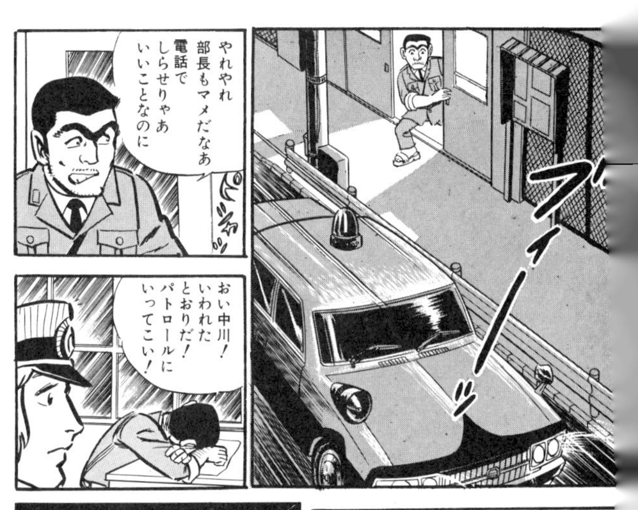
やれやれ
部長もマメだなあ
電話で
しらせりゃあ
いいことなのに
おい中川!
いわれた
とおりだ!
パトロールに
いってこい!

さっき駅前まで
パトロールして
きましたよ
今度は
先輩の番…
よし!
それじゃ
5円玉で
きめよう!

ウラ!!
よしっ
わしは
オモテ
だ!!

止まれ
ついてねえなあくそ！

ま冬の夜中に街をウロつくなんざ まったく……
インガな商売だぜ！

へーくしょん!!

ううっ今夜は格別ひえこみやがるなあ…くそ
カイロでもいれてくるんだったな！

ひえると
自然と近く
なってくる
………
このへんで
小便を
少しょう…
火事
だあーっ
な
なに!?

くそ!
まったく
いそがしいな
ジーーッ
ぐわっ

は…
はさん
だあーっ
うぬっ
ぐぐぐ
ぐ……
チャック
が……
こんな
時に……
ぐぐ……

しし
しかし
いか
ねば…
職務への
責任感が
本官を
うごかす…
ズル
ズル
ズル

へーくしょん なんてこった ちくしょう――っ
よわり目にたたり目たあ このこった う〜〜〜っ さぶい！
ビチャ!!
ビチャッ
おい ちょっと まて！
こんな夜中に何やってる あやしいやつだ！

なんでえ おどかすな 同業者じゃねえか！
あっ にげる気か!?

ますます あやしい きさま放火魔か!? 変態のチカンか!?
それ所じゃねえ 急いでるんだ！

おまえが警察官だと〜〜？ スタイルだけばけたつもりでも その顔ですぐわかるわっ！
わかったよ…… 手帳をみせてやるよ！ あれ…？

ないぞ！ さっき ドブの中で流しちまったかな？
グイ
とにかく 交番にくるんだ！ さあ！

しつこいなっ！
公園前派出所の
両津だって
いってるだろ！
このバカ！
ビュッ
りょ
両津!?
ドタッ
きさま〜〜〜
公務執行
妨害で…
ま
まあ
班長！
なんだ
にげられて
しまうぞ！

班長は
署にきてから
日があさいから
ご存じないで
しょうが
たしか外勤に
八方やぶれの
署員が
いたとか
……
カクガリ
頭に
サンダルばきの男だと…
名前も
両津とか
……
あの男が…
くく…
ゴオオオ

おお
燃えとる
よ〜く
燃えとる
なあ

ちょうどいい
このびしょぬれ
の服を
ここで
かわかすか！

へへへ
みる間に
かわくな
やはり
このくらい強い
火かげんで
ないと……

あっ
ジュウ！

おい！
きさまっ
人がせっかく
あたたまって
いるんだぞ
むこうから消せ
むこうから！
はく情者め！

だれだ！
消火活動
に注文
つけてる
やつは
…？

なんだね
きみは！
こんな所に
すわりこん
で！
警官だ…と
いっても信用
されそうも
ないか……
わかった
どくよ

おかげで
服もかわいたし
体もあったまったし…
そろそろ
帰るか！
あとは
消防署に
まかそう

…と
いかん！
本官は
犯人を
さがしに
きたんだ！

あやし
そうな
やつは…
…と

いた!!
☆
★

なっ
なにすんだよ
いきなり！
はなして
くれよっ
うるせえ！
いいわけは
署にいってから
にしろ！
放火魔め！

放火魔は
かならず
現場にいると
いう！
おまえが犯人
だろう！
この！
ち…
ちがいますよ
ただの
見物人ですよ

いいわけする所が
あやしい！
だいたい顔が
犯人だと
いっているわ！
そんなァ
顔で
きめつけ
ないでよォ

お巡りさん
何かのまちがい
ですよ
今まで4人で
マージャンして
いたんです
から……
なに！
マージャン
をやって
た……!?

だから
さっきから
ちがうって
いってるじゃ
ないですか

だいたい
きさまの
顔がわるい
んだ！
まぎらわしい

わしの
カンも
くるって
きたよう
だな？
やはり
栄養が
たらんのかな
毎日ラーメン
ばかりじゃ
栄養が…
たまには
うな重
でも…

へーくしょん!

また さむくなってきたな もうこんなもんでいいだろう 帰ろう!
いちおう犯人さがしはやったことだしな……

ん!?
ちぇっタバコもしな切れか……

こんな夜中にやってる所は…と

そうだ バーサンとこに自動販売機があったな……!

洋子ちゃんは 今ごろねてるころだろうな

ん★

なんだ
たばこ

ボッ

ん！火を？

あっ!!

こらっ
きさまだな!!
連ぞく放火犯は!?
ダッ
頭大入学祈願
やばい
お巡りだ！

まてーっ
ん!?
そうか

くそ！
けっきょくコートはこうなる運命か！
バサ
バサ

まてー
このー
頭大入学祈願

とうたっ
このやろう
つかまえたぞ
洋子ちゃんの家に
火をつけるたあ
とんでもねえ
やろうだ　この〜
ごめんな
さい！
すみませ
ん!!
受験ノイローゼで
火をつけないと
おちつかない
んです！
許してくだ
さい！
受験
ノイローゼ
だと!?
はい
火をみながら
単語をよむと
よくおぼえられ
るんです

おそろしい
性質だな
……………
きさまは！
世界史の
年表なんか
一番よくおぼえ
られるんで
すよ！
そしたら
自分の家に
火をつけりゃ
いいじゃないか
それだと
逆に
わすれて
しまって…

かってな
やろうだ！
派出所へ
こい！
グイ
バカ
き…
きさ
まあ〜
ダ

わしを
とうとう
おこらせ
たな!
ただじゃ
すまん
ぞ!!
学祈願
学祈願
あ あの
お巡りさん
本気で
うってるぞ
!
たすけ
てくれー
頭大入中
coffee
たすけて
くれ〜〜〜っ
お巡りさんに
うたれる!
頭大入中
さっきの警官
には まいった
今ごろ
何してる
やら……
いやあ
まったく
留置場
でも
どこでも
いれてくれ
——っ

それは大変でしたね先輩
けっきょく犯人が自首ってことでわしの苦労もフイだよ
ついてねえよ…
でもよかったじゃないですかタバコ屋の火事が防げて…
まったくだ明日 このこときいたらバーサン腰ぬかすぞ

タバコ買いにいったなんてじつは洋子ちゃんとこへ ヨバイにいったんじゃないですか
な なんだと
おまえの反抗的性格をたたき直して…
ガン
あっ 先輩 うしろ! 火が…!
うるさい その手にのるか!
ボオオオー…

あっちっち
あっ
火事だ!
だから
さっきから
もう
消火器だ
早くしろ
中川!
は
はい
★
!?
そうだ!
中身ぬいて
あったんだ!
だめだこりゃ
ガチャ
天井まで
火が……
もうダメだ
にげます
よ!
まて
でる前に
やることが
ある!
始末書を
燃やすんだ
完全にな!
あと
勤務
表も
燃やして
しまえ
まっ
たく!
もう
ドジャーン!
ゴオオオオ
うわっ
くずれて
くる!!
よし
にげろ
バキバキ

ひどいなあ
鉄筋でしょ
この派出所
は…?
それとも
紙でできて
たんですか
まったく
よく燃える
手ぬき
工事だな
どうすん
です?
部長に
なんといって
……
ごまかす
んだよ
いいかげん
てきとうに
なっ!

ごまかすっ
て……
燃えてしまっ
たものを
どうやって
……?
うるさい!
そこを
なんとか
するんだ!

あれ?? ?
そこの
方がた この辺に
派出所が
なかった
ですかな!?
ああ……
は
派出所…ね!
もう少し
先じゃない
かな? ん!
よく
おぼえて
ないけど…

★週刊少年ジャンプ1977年７号

治安の戦士!?の巻
トヨタ
スプリンターLB
ここは
葛飾区
全国交通安全運動実施中
金町四丁目
国道6号線
水戸街道

ブロロロロー!!

よし!
いただき!
パチ

これで一文ね
やーめたっと!
きったねぇやろうだ
もうチョイで赤・青のダブルができたのに……

しっ
でけえ声たてるんじゃねえ!
花札やってることがばれるじゃねえか!
くそ!
いつもカスでにげやがる

所で中川さっきからしずかに何やってるんだ!

もう一番いくか?
え!?
もうやめたよ
今日はツキがなさそうだ

きいてるんですよ
江戸川につくまでヒマでしょう
ほう こんなもんできこえるのか?
ギャ

な 中川 早くとめろ 早く!
上のボリュームを…!
てめえら何やってんだ
そんなもん こうすりゃあ…

あっ

へっへっへへ どうもおさわがせいたしやした
ちょっとしたアクシデントでして へへへ…

ばかに
うしろの方が
にぎやかだが
きみの部下
かね
あの連中!?
い…
いや……
とんでもない
はじめてみる顔
ですよ あの顔は!

ひでえなあ
なにも
ぶちこわさ
なくても…
先輩は
やることが
乱暴だか
顔も
乱暴

ひとこと
多いぞ
中川!

いちいち
ヘルメット
ぶつけなく
てもいいじゃ
ないですか

ばかもの
先輩の
愛のムチだ!
ありがたく
いただけ!

では
後輩から
その
お礼を…

こんな物の
お礼は
しなくて
いいんだ!
もらいっ
ぱなしじゃ
悪いですよ
先輩!

きさまーっ
そんなことで
世間が
許さん!
いて!
もう
頭にきた
!!
ガン
おまえら
おれを
はさんで
ケンカを
するなっ!
うるせえ
おまえも
道づれ
だっ!

やったな
このーっ
ガ
ドン
ダ
ガッ
なにっ
やるか!
ドタバキ
ガシャン
この
悪徳警官
め!

こら!
おまえら
それでも
警察官
か!?
もっと
平常心を
もって自分
の行動に…
かっ
カーン
これじゃ
おちついて
運転でき
ないよ
ドカ
ガヤ
ガヤ
ガヤ
ガヤ

ガチャリン

ガチャ
ガチャ
ガチャ
むこうにつくまでそうしてろ不良め!

江戸川

キキーッ

ちぇっ! きつくていやだなあ 早く帰りたいよ!
ゾロ ゾロ
一番つらい日だよな 今日は!
ゾロ ゾロ

ぐずぐずするな! 班ごとにならべ!!
それ! かけ足!

両津たちはどうしたん？
おかしいな……同じバスだったのに
おーい いいかげんにはずしてくれーっ
おっ そうか！あのままだったな

まったく忘れるなんてとんでもねえよ！アジのひらきじゃあるまいし
ぼく なんか右手が長くなったみたい…
全員そろったな よし！いくぞ！

1 2
1 2
3 4
3 4

1 2
1 2
ふう！フル装備で走るなんざキツすぎるよ くそ

ほれ 中川 ジュラルミンのタテ おまえにやるぞ！
あっ!!
1 2
1 2

ぼくのひとつでまにあってますよ！こんな重たい物……
1 2
1 2

きさま〜
警察の
備品を
そまつに
あつかうと
……
1 2
1 2

1 2
1 2
ガン

く
くそう
………
近ごろの
若いやつと

先輩を
うやまうと
いうことを
……
1 2
1 2
1 2

機動隊の
訓練
かしら?
大変ねえ
がん
ばって
ね!
1 2
1 2

いっち
にー
さんし
ごおー
ろく!
しっち
はち!
タタタタタタ
いっちに
さんし!

くくくく
男を
あげたぞ
両津!

なあに
今のは
…?
さあ?
あたたか
くなった
からねえ
最近…

ちょ
ちょっと
やりすぎた
かなあ……
ははは
はぁ
はぁ
いかに
女がみて
いるとは
いえ……
あさまし
い行為だっ
た
1
2

やはり
ムリは体に
よくない
し……

1 1
2 2

みなさん
いさましい
わね!
1 1
2 2
ほーんと

いっちに
さんし!
みんな
気合いが
たらんぞ!
ははは
しい
ごう
ろく!
どす
こい!
ほい
きた!
な
んと!

ほれ
どーした
どっ
こい!
中には
おかしい人も
いるのね…

1 1
2 2
ぜい
ぜい
ぜい
死ぬ~~
はぁ
はぁ
はぁ
こんなこと
してると
かならず
死ぬな!

こらっ両津!

こんな時に昼寝するヤツがあるか!
いやこれには深いわけ

うるさい!いいわけするヒマがあったら走らんか!
わしの班のメンツをつぶす気かきさま!!

おう両津!元気か?
元気なはずないだろ

だれがこんな訓練考えやがったんだ!ちくしょう
前のグループとだいぶはなされたな!

いい年こいてこんなバカ騒ぎしてられるか!サテンでもはいってひといきいれよう
え!?こんな所にあるのか?

わしにまかせろだてに毎年ここへきてるんじゃないからな
そうか!よしこぶ茶でものむか!

よし
ここをくだって
いくんだ
すぐ下にある
よし
!
千葉市内

こんな所に
ウラ道が
あるとは
な……
だれ
ひとり
わからん
だろうな

1 2
1 2
1 2
1 2
ダッ
ダッ
ダッ
龍雄ちゃん
文東京に
おいで!
入学も
いのる!!

な なんだ
ついて
きやがったぞ
この連中
訓練コース
をしらん
らしい……

先頭の
わしたちに
ついてくりゃ
いいと思って
いやがる
そうか
新米警官
の連中か!

サテンに
はいるの
まずいん
じゃない
か?
かまう
もんか!
やつらは
ムシしろ
ムシ!
手動ドア
コーヒー店
農村
0423
(23)
1200

あれ!?
先輩たち
キッサ店へ
はいったぞ
そうか
あそこで
みんなに
コーヒーでも
おごって
くれるん
だよ
よし
いこう
いこう

ガヤ
ガヤ
ガヤ

なんだって連中もここへはいってきたんだ!
さあな?しかしこんなに警官だらけじゃさぼった気がしねえな…

ん!なんだこりゃ

はあみなさんが伝票はすべてこちらにまかせてあると…
じょうだんじゃねえ!おごるなんてひとこともいってねえぞ
ガチャ

両津 ここは
すなおに
払ったほうが
いい あとで
めんどうだ
ちぇっ
じゃ次長の
ツケに
しとくか

こんな所に
いるとロクな
ことがない
こっそり
でちまおう
よし!

あの連中と
つきあって
られんよ
あれ?
もう
でてる
ぞ!
始まり
だな
おれたちも
いこう!

喫茶 農村
うわっ
また ついて
きやがる!

こうなりゃ
にげるが
勝ちだ!

すごい
さっそく
猛ダッシュ
してる!
先輩たちに
つづけ!
いくぞっ!

やつら
おって
きたぞ！
ようし
こうなったら
とことん遠く
までいって
迷子に
してやる！

それに
しても

ずいぶん
険しい道を
とおるんだな
って……？
先輩
たちが
いくんだから
まちがいは
ないよ
ガサッ
ギャン
ギャン

この辺で
まいてやる
いいか
ふた手に
別れる
よし！
わかった

あっ

ふたりとも
ちがった道に
別れた
ぞ!?
いったい
どっちが
正しいんだ
さあ？

ひきかえ
すなんて
よけい
ムリだな
？
しかし
ここが千葉とは
思えないな
まるで
ジャングルだ
ヘタすると
のたれ死に
するかも…

ざまあみやがれってんだ!
ザザ

しかし両津のやつうまくにげられたのかな?

ブルルルル…

おーいだいじょうぶか?むかえにきたぞ!
おおすまんな!
明るい村づくり
千葉県警察
千葉県警察
ブルルルル

県警のジープじゃねえかこれ…
ちょうどパトロールしててな…早くのれよ

これなら昼メシの時間に間にあうな!
ブロロロロ!

ブ
ブレーキ
が…!!
明るい村づくり
千葉県警察
千葉
県警察

ザバシャッ
明るい村づくり

きさまたちの
パトカーは
水陸両用車
か!?
このドジ!
ゴボ
ゴボ
なに分にも
ポンコツ
なもので…

やれやれ
なんて
こったい!
でも
なんとか
間にあっ
たな…

おお 両津!
そんなに汗が
でるまで
走ってたのか…
いやあ
カンシン
いやあ
若い者に
まけて
いられません
からな
ははははは

さぞ
おなかが
すいたろう
さあ
たべろ!
へい
どうも

それにくらべて
若手は……
まだもどっ
てこんのだ!
あわなかった
か?
さあ
記憶に
ありませ
ん…

大原くん きみの部下も なかなか 気合が はいっとるね
あっ 課長 これは どうも…
丸亀ゴルフ場
立入禁止
今日の訓練の 指揮は なかなかの ものだ 有能な 上司だな
笑ぎりの渡し 大人70円 小人30円
いやあ 課長 そんな…

自分は ただ…… 警察官と しての 使命感と いうか…
治安維持の ため 社会正義のため ただただひたすら 一千万都民の いしずえとなる…
そういう 気概だけは いつも部下に いいきかせて ありますっ
先輩! ぼくのおにぎり かえして ください よ~~
えーい うるさい ひとつくらい いいじゃ ないか!
オレが 鮭好きだっ て しって るだろう
今 思うに 自分の 指導は 正しかったと 確信して おります ハイ
なるほど さすがは 大原くん

いやあ思えば
私の命令を
よく守る
じつに有能な
部下で…★

おにぎり
どろぼう
かっぱらい
窃盗!
だまれ!
しつこい男だ
こうしてやる
どうだ!
死ね!
ガッ
ガッ
………

ま…
まあ…
素行に
少しょう
問題が
ありますが……
わ…は
はは…
は…は
死に
くされ
このっ

とどめ
だーっ!!

ちょっと
両津
大変だ
あっ
バカ!
グイ

ぐっ
ゴキッ

いてーっ!!
なんだって!?
さっきの連中が
もどってきた
だと…?
そこに
またせてある
サテンのこと
が バレるぞ
なんとか
してくれ…
よ…
よし
わかった

おう
ごくろう
だったな
しょくん
しかし
休んでる
ヒマは
ないぞ
さっそく
次だ！
はあ
はあ

次の訓練が
おわった順に
署に
もどっていいぞ
治安はキミたち
青年警察官の
双肩に
かかっとるのだ

ブルルルル

やつら
どうした
とうとう
もどって
こなかった
な…

なーに
江戸川を
犬カキで
10往復しろって
いっただけよ！

はあ はあ
もうだめだ
おれ…もう
警察官を
あきらめる
よ…ウフップ
バシャ
一往復する
たびにだんだん
人数がへって
いくなあ？
バシャ
バシャ

★週刊少年ジャンプ1977年14号

お犬様の巻

わあー

ちょっと きてみろ ヨォ!

グォーー

ほーら これが ニューナンブ だぞォ
グォー
す すげえ なあ…
かっこ いい!

38口径 スペシャル弾 ライフリング 5条 右回り… 装弾数5発
へえー 信ちゃん くわしい なあ

あたり前さ しょっちゅう ここにきて いじってる からね! それじゃ 手錠の かけ方を おしえて あげるよ
グォー

ここを こう… あてる でしょ…
ピタッ

そして… ガチャッ と…!

わあー
おもしろい
もう一度!
今度は
イスの足に
ガチャッ!
グオー
派出所って
おもしろい
物がたくさん
あるねェ
シュー
ガチャ
あっ
ぼくも
やろうっと
スイー
ビリ!
ぼくも
一枚!
なんか
字がかいて
あるよ…
気に
しない!
気にしない
ビリビリ

うわっ
すごい
とべ
とべーっ
スイーッ
グオー
コツ
あっ!!
しっ
しずかに!
しーっ
グオー
ぜーんぜん
気づかない
みたいよ
………
死んで
いるんじゃ
ないの?
あのお巡り
さん…

イキはしてるみたいだよ
よだれ流しているからだいじょうぶみたい…
でも目の黒い玉がなくなっているよ…ほら…
グゥ

水をかけたらわかるんじゃない？
いや石油をかけて服に火をつけたほうが

さっきひろったノラ公にためさせてみようよ
よし！つれてこようか

よいしょよいしょ
よいしょ
そっちじゃないよこっち！こっち！
よいしょ

ふう！でもどうやってたしかめるの？
ノラ公にかみついてもらうんだよ
ちゃんとかむかな…？

バッチリ！
ソーセージを
足に まき
つけるのさ
なーる
ほど
さあ いけ
えんりょ
なく！
ガブッと
この犬
やる気
十分
みたいだな
ガブ
ふぎゃあ！

やっぱり
生きて
いたよ！
もう
はなせ
よォ！
バカ！
くい意地も
はってるなあ
この犬！
この
ガキども…

全員ぶっとばしてやる!までーっ
うわあにげろーっ
この犬逃げる時ははやいな!
ピン
ああっ

ガタ
あれ?先輩だ!
ガシャーン

何やっているんだろうつかれるからパトロールはいやだといったくせに
まったく10分とじっとしていられない男だな!

先輩!そんな事してあそんでいていいんですか?
ばか!あそんでるわけじゃない

何のさわぎだ こりゃ? でいりでも あったのか?
ガキどもと バカでかい 犬がきて いててて…

うっかり うたたねも できやしねえや くそ!
ガチャガチャ

あっ 被害届けが 全部 破られて いる!
みんな 飛行機に なってるぞ おい!

まったく 両津は 留守番ひとつ できねえ のかよ!?
うるせえ! ねるのに いそがしくて それ所じゃ ねえや!

今度 番犬でも おいといたら どうでしょう か?
そうだな そのほうが 両津より 役に立つかも しれんぞ

くそう
人を犬と
いっしょに
しやがって
このっ！
ビュッ

へい
おまち
ーっ

ガン

あっ
しまった
!!
あっ　このバカ
ひでえこと
しやがる!!

出前の
ダンナ
だいじょうぶ
かい？

いや…
どうってこと
ありません
はは…は…

まいど
ありー
みさかい
つけろ！
ウスラ
うる
せえ！

だから
あの派出所に
出前するの
いやなん
よ……
いやな
予感して
たんだ！

お兄ちゃんのお巡りさんちょっとちょっと…
ん？なんだいぼうや？
この犬派出所でかってくれないうちじゃかえないんだって！
え？よわったなァぼくひとりじゃ決められないし……

うすら先輩後輩がよんでるぜ！
うるせえ聞こえたよ！

先輩ちょっときてくださいよ!!

なんだ? あーっ さっきの犬だ!!

さっきはよくもこいつめ!
まってください
この犬を派出所でひきとってほしいともってきたんですよ近所の子どもが…

じょうだんじゃない! 派出所で犬などかえるか! どこのガキだそいつは?
あ あれ今 ここにいたんですが…Gパンに緑のジャンパーの……

わかったぞ定食屋のガキだな! よーしかえしてきてやる!
あっ先輩!

鍋島食堂
定食・外食
鍋島食堂

こまるといわれてもこっちもこまるんだよ派出所は動物園じゃないんだから
¥300

うちはたべ物を扱うものでとても…
ワン
こら！なつくんじゃねえしっしっ

それなら保健所にひきとってもらうとか…なんか方法があるだろ？
¥500

ワン
ワン

なつくなってんだこいつっ！

それじゃああんまり犬がかわいそうで……
だからって派出所にもってきちゃこまるよ

ペロ
ペロ
ただでさえ勤務でいそがしいのにねえ…

こんなノラ犬をやしなえるはずが…
はずが……
ペロ
ペロ

きさまっ！
だれのためにこんな話し合いをしてると思ってんだ!!
おとなしくしてねえとスープのダシにしちまうぞ！
こいつ!!

ゴホ ゴホ
自分のおかれてる立場をしれたわけ！

そこをなんとか…
警部！いや…次長さん
じ 次長……
ううむ…

本官もいいことばの誘惑にはよわいな…くそ！
アグネス
ワン
ワン
ワン

じっとしてられんのか!!おとなしくしろ！
そうだ！肉屋のやつが猟銃をもってたな……
よしあいつに……

本番でないとだめなんだ ユニークな犬だろ ははははは

は……
……ははは

あまり…元気がないようだね……
いやあ 能ある鷹はツメをかくすっていうだろ 今いっしょけん命かくしているんだよ

なあに いざとなったら牛肉といっしょに合びきにすりゃ4 5人分になる 多用途ないい犬だぞ!

ちぇっ! けっきょく5軒もまわったがだめか!
まっ むりもないと思うがな… ちくしょうめ
ワン
ワン

キャン
キャン
なれなれしくするな! なん度いったらわかるんだ
あっ 先輩 けっきょくつれてきたんですか?

勝手についてきやがったんだ ずうずうしいやつだ!
番犬にでもなりませんかねえ…? この犬

!!

よし! わしがためしてやる どけ 中川

わしのしつけはきびしいからな…
まずは初歩訓練から……
お手
!!
ワン
それは前足だろ!
ちゃんと手のほうをだすんだ!
はいお手!
ガブッ

ぎゃあいてーっ!!
こら!はなせ!こら!

ビク
そんな手をかむとバイキンで死ぬぞ!
パッ

……
……

ちくしょう なんて いい草だ! まったく わしの 立場という ものが… くそ!
本当に よくいうことを きくなあ こりゃ 両津より 役に立つぞ

この犬 かえない ですかね? この派出所 で?
そうだな 物置きなら 場所が あいてるし

む! なんだ!? その犬は… 派出所に 犬など いれちゃ いかんぞ!

そう ですよねえ 部長! おい早く たたき だせ!

スパイかも しれんぞ その犬 早くだせ!

むむ ペンが ない!
忘れ たかな ……?

ん?

おっ すまんな

おい
中川
お茶でも
いれて
くれんか

なるべく
熱い
やつを…
ワン！

ほう
なかなか
りこうな
犬じゃ
ないか！
そうでしょ
芸も
できるん
ですよ

両津より
役に立つん
じゃないの
かな？
みんな
そう
いってます
よ！
くそ〜

おい ノラ公
わしにも
茶をいれて
こい！

なんだ
両津の
いうことも
きくのか？
どんな
人間でも
差別しない
所が
あの犬の
エライ
所ですよ
ムカ！

人を
なんだと
思って
やがるんだ
ん☆
ワン

このーっ
これが
お茶かあ
ソースじゃ
ねえか！
お茶だ！

なにが
差別
しないだ
ちくしょう
………

ん?

こんなもんがのめるか!!
人間様をおちょくるとどんな目にあうか…

先輩のいい方が悪いんですよ!いい方が!!

ちゃんとやさしくいえば…
ほら!こうしてちゃんと……

よし!いい子だなノラ公ちゃん…
お茶をもってきておくれ!

なめてんのか!
生きてここから帰さん!!
ズギャ

ドッ
あ…あ 部長! いたの!? はは…
これで また ひとつ 始末書が ふえたようだな……

始末書10枚で北極の片道旅行へ招待してやる!
あと もう少しだ! がんばれよ!
ピラ
プ
プ

部長の前でまずかったな少しょう…
頭にくると我を忘れてすぐ行動しちまう……自分ながらこわいな!

ヌッ

じゃまするな こいつ!!
てめえのおかげでこの始末だ!
コッ

クーン
む! なんだ!?
そりゃ おわびのつもりか? え!?
ドサ

そんな物もうみあきたいらんよ!
どうせならもっと身になるものをもってこい!
バーカ

えーと昭和52年4月19日……と
両津…巡査部長いや…巡査長は…

ド
ちぇっ!また何かもってきやがったか!?

いったろうがもっと身になる金とか……金を……☆
なに!1万円が…!!

部長ー大変です!お金がぎっしり!!
あっ両津!まさか…おまえ…
先輩とうとう……ひとことぼくにいってくれれば!
両津!ついにクセがでてしまったのか!?

きさまらよってたかっておれを犯人扱いしやがって!ぶち殺すぞ
ブ

こんちくしょうが もってきやがったんよ こいつがもってきたんだよォ!!
きさまのせいで犯人扱いだこの!
わ…わかった
まあおちつい て……
おまえを逮捕して調書をとってやる!!
ガチャ

さあ どこからあの金をぬすんできた!!
いえ!
バン!
きさま犬のぶんざいで黙秘権を使いやがって!!
桜田門をなめるんじゃねえ!
ピカッ
だまっていると懲役刑に……
まあ先輩…

夢にまでみたマイホームの頭金なんだ大切な!
赤い皮のバッグ!
ちょうどこんな感じの!

そうか! きみのだったのか さっき届いた所だったよ よかった よかった
どなたですか? いったい!! ぜひお礼を!

それが… この犬が届けたのだがね…
犬でも かまいません どうも ありがとう

こんな世の中 人がひろったら ネコババされてました お礼に 200万円 おうけとりください

200万円

中川! このワン公 いや! お犬様に ミルクを早くしろ!
熱燗だぞ 気をつかえ!!
はい ただいま すぐ!
えー できれば 100万ほど わが派出所に ご寄付を…
団結

★週刊少年ジャンプ1977年18号

野球狂の男の巻
お巡りさん! 大変!!
あれ!? いない!?
Number

メシどきに
なんの用だよ
大あばれ
してるんです!
止めてください

ちょっと
まってろ!
すぐ食べ
終わるから
え!?
あの…
いそいで
ください
すぐ
よんでくる
と…
ズズズズ

よっしゃ!
行くぞ!
も もう
食べちゃったん
ですか?

美容室
お好焼
パーマ

ここです!

お巡りさん
この家の
おやじさんを
止めてください
すごい
あれ方だな
酒乱か!!

酒乱と
いうより
球乱です
球乱
だと!?

山田打った!
入るか!?
入った!
ホームラン
うわっ
また
くるぞ

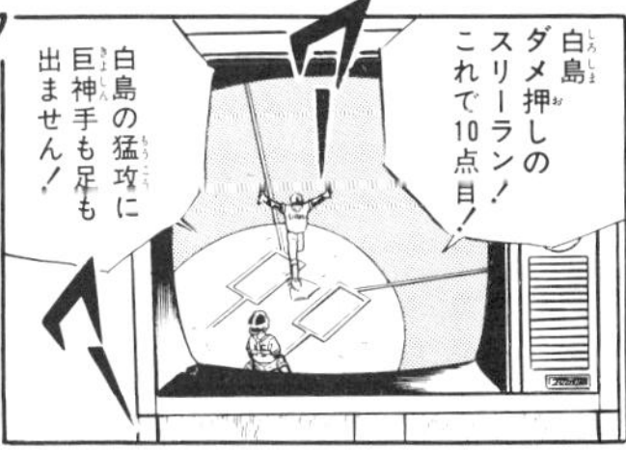
白島
ダメ押しの
スリーラン!
これで10点目!
白島の猛攻に
巨神手も足も
出ません!

もう
やめろ!

これ以上
恥のうわぬりを
するな!
ちきしょう!
なんで1点も
取れないんだ
くそ〜〜〜っ
ズバシャ
うわ
でて
きた!

ふがいない!

熱狂的な
巨神ファン
なんです
このおじさん
今日で
4連敗
ですからね
怒りが
頂点に
達して…
すごい
あれ方
だな!

連敗すると
テレビを外に
ほうり出し
ますからね
ほら こんなに
経済的にも
大変だな…

くやしい〜
なぜ勝て
ないんだ!!
せっかく家族
そろって応援
してたのに!!

野球ぐらいで
そんなに
あばれてちァ
しょうが
ねえな
なに

野・球・ぐ・ら・い
とは なんだ!
きさま!
たとえ
警官でも
ゆるさん
ぞ!

わしは仕事も休んで
命をかけて
応援してるんだぞ
命を!
命を
だな…

白島 また
追加点!
11対0
やった!
パチパチ
ピク

そんなに
巨神が
負けて
おもしろいか!
こら!
バカ!
やめろ!
はなせ!
このわしが
天誅を
下す!

たかが
野球のこと
だろうが
うおおお
たかがと
ぬかしたな!!
野球を
冒瀆する
やつは ただじゃ
おかんぞォ

熱狂的なファンなのねその人!
熱狂なんてなまやさしい物じゃない信者だな!

野球場で顔をおぼえられ入場差し止めされている負けるとすごいあれ方をするからな
本業はタクシーの運転手なんでしょう
ピンときたら110番
そのタクシーだってハンパじゃない
これだもの!

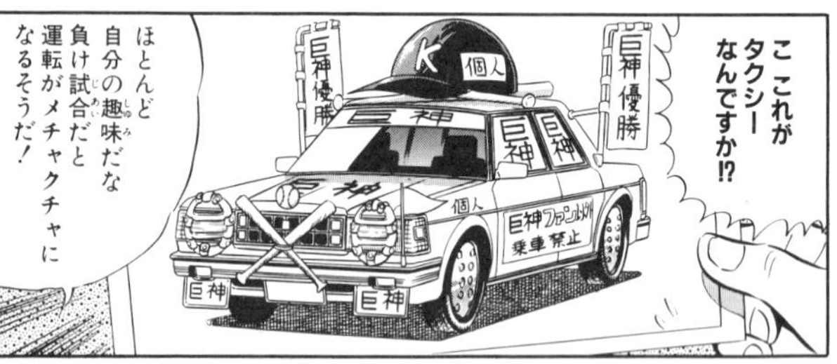
こ これがタクシーなんですか!?
ほとんど自分の趣味だな負け試合だと運転がメチャクチャになるそうだ!
巨神優勝
個人
巨神
巨神ファン以外乗車禁止

このところ 巨神が連敗してるからなぶつけキズがいっぱいあった
今夜もあれそうだからな!帰りよってみるよ!

おや? 窓ガラスがとびちってないぞ?

やあ お巡りさん!
ぬっ
うわっ びっくりした!

まあ 上がって見てくださいよ 今夜の試合もうすぐ終了ですから
5対0でパーフェクト圧勝!!
巨神! やっと連敗から脱出できそうです!
KYOSHIN
KANETA

このいい男が名ピッチャーの玉井です! みごと完封!! すごい!
これが本当の巨神の姿ですよ わははは

今夜の酒はうまい!
巨神もこうしてがんばったんだ わしも仕事をバリバリやるぞ

笑い顔もできるんだな！この男
先日はいろいろとすみませんでした
今日は心配なさそうだ帰るよ！
どうもご心配かけます

青木ヒット満塁になりました！巨神の名母奈監督出てきました！
ピク

もう少し帰るのを待ちましょうか
大丈夫だと思いますが…
いや！念のため！

ビールをさげてくれ！
はい！

山田打ったいい当たり！
三塁より田中がホームイン

1点かえした!!
オ・リ・を早く!!

ガチャ
球野さん！
まだ4点
あるから
大丈夫!!
キョシンくん
ま
まあね！

なんたって
ツーアウトだ
心配ない！
も もちろん！
玉井は
プレッシャーに
強い男だ！
安心して
見てますよ

カーン
センター
ぬける
ヒット
ミスター
キョシン
4
なに
!?

青山入って
1点追加
ワ
ワ

ピク

赤坂も
帰った!!
計3点に
なりました
ワ
ワ

ピク
ピク

奥さん
子どもを
安全な所へ！
さだはる！
しげお！
こっちへ
きなさい！
KYOSHIN
KYOSHIN

おい！
何をする！
グル
グル

5対3で巨神は勝っている試合だぞ わしは巨神を信じている！
目が全ぜん信用していない・・今に逆転されるという怒りの目だ!!

ピッチャー交代！大山!!
なんだって!?

いや!!いや!!疑いはよくない！
名母奈監督のやる事は信じる!!

ツーアウトだ あとひとり うち取ればいいい わしは信じるぞ！
KYOSHIN
NAGUSHIMA
東京巨神軍

初球いきなり打ったァ
カァーーン

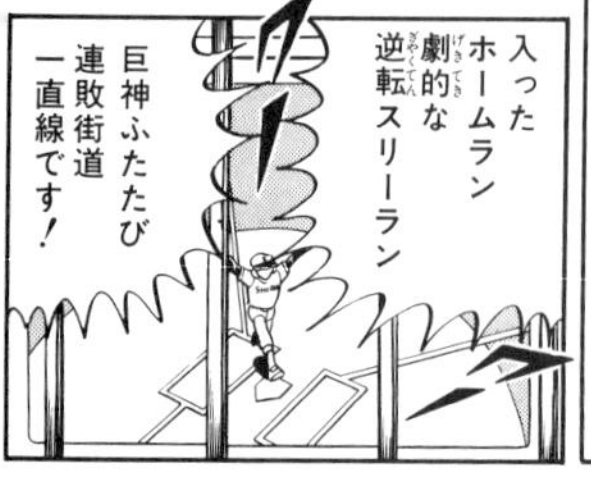
入った ホームラン 劇的な逆転スリーラン
巨神ふたたび連敗街道一直線です！

くやっ

なぜピッチャーを交代させた大バカヤロー
ガッ
あれじゃ打たれるのは当たりまえだちさしょう!
今日こそ勝つと思ったのに
〜〜〜くやし〜
あきらめろ!もう終わったんだから!

亀有公園前派出所
野球の勝敗に神経を使いすぎてとうとう入院しちまったよ!
本当ですか!

巨神はこのところ連敗がつづいてるからな立ちなおるのに時間がかかる
タクシーの仕事もできず気のどくですね

そこでいい薬をもって見舞に行くおまえも協力してくれ!
え!?

GS病院
あの病室だ
ひと目でわかりますね

初めは4人部屋にいたんですが巨神ファン以外の人と大ゲンカしてしまって…
ここの個室にされたんです
巨神ファン以外立入禁止!!
ミスターキョシン
がんばれ! ヤングキョシン
KYOSHIN
868

体に悪いからテレビも禁止されたのですけど…
野球を見れない方が体に悪い!!
奥さん今日は私が見てますので安心してください
KYOSHIN.

ダンナも巨神が勝てばよくなります
このコードよろしく
じゃあおねがいします
ご協力すみませんね!
これで何をするのですか?

勝つのが
一番の薬ですからね
勝利のプレゼントですよ

アンニャラ
フニャラソワカ
フンニャラベッチャ
ドテカボチャン
バサ
バサ

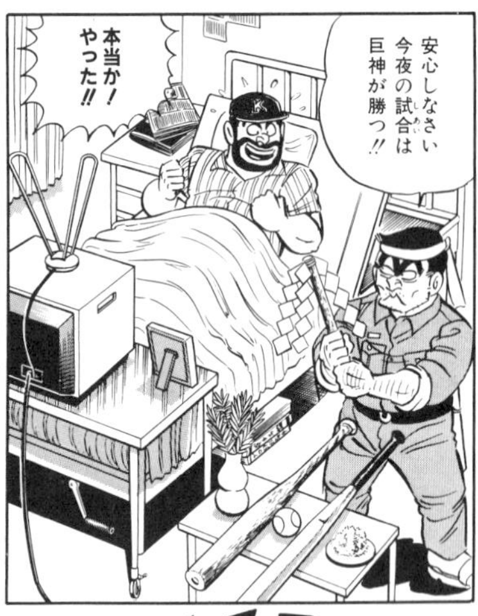
安心しなさい
今夜の試合は
巨神が勝つ!!
本当か!
やった!!

ガチャッ
時間だ
ビデオの
スイッチ
オン!

一回の表
ランナー満塁
バッター
ゴンザレス
さあ
ここで一発
出るか!?

大きい!
入った 入った
ホームラン
巨神いっきに
4点です
見なさい
効果てきめん!
やった
すごいぞ

信ずる者は
すくわれます
ラーメン!
この試合
8対0で
巨神が勝つと
出ています!

おかしいな ゴンザレスは 昨年アメリカに 帰ったはずだが…

外人じゃないよ! ルーキーの言座例酢選手だよ
知らない!?

この球場はドーム球場でなくこわしたはずの後楽園球場だぞ!

ちょっとまってトイレに行ってくる

大バカモノ! 後楽園はもうないぞ!!
そうか! しまった! 地方球場にすればよかった

今CMを入れました! この間に別の試合に変えます
早くしろ! ばれてしまうだろうが!

なるほど こういうわけだったのか…
あっ こら!! 見るな

ニセの試合などいらん! 今やってる試合を見せろ!
わかった わかった すぐ見せるよ!

先輩 3回表 12対0で ボロ負けしてますよ… 巨神は!
そうか! やはりな…

さあ! 早くコードをはずせ 試合が気になる
これがなかなか複雑でな!
ドライ
ウーロン茶

おっと いかん!
ドドン

あ
ドガッ

しまった! つい手がすべって! これはもう なおらんな
きさま わざとこわしたな!

もういい！
自分の
ラジオで
聞く！

ガ
ガ
あ!?

ド
ン

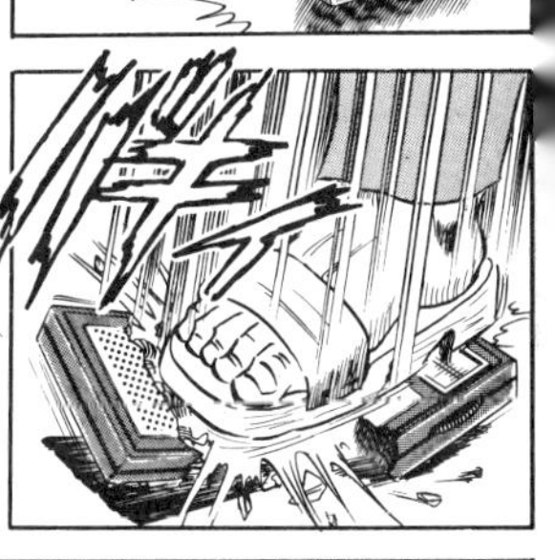
グシャ

これは
失敬！
つい足の下に
ころがって
きたから！
じゃまばかり
しやがって!!
よけい試合が
気になるだろ
!!

テレビを
さがすぞ
！
あっ
こら
ダ
ッ

その男
取りおさえて
くれ！
じゃまを
するな！

まるで野球の禁断症状だ!
野球中毒だからな! シーズンが終わるまでなおらん!

そして 月日は流れ応援の甲斐あって巨神は優勝した

すごかったらしいですね 球野さんの優勝フィーバーぶりは!
想像を絶するものがあるよ

東京タワーに球団旗をかついで登るという信じられん男だ! あれじゃ 球場出入り禁止になるはずだ
シーズンも終って ほっとしてるでしょうね

あれ? タクシーが!?
今日は休みかな? 野球はないはずだが?

★『こちら葛飾区亀有公園前派出所――下町奮戦記――』に描きおろし

気のあうふたり!?の巻

男女従業員
給料 十万円 以上
男女パート可
ファイトの有る男女望む
道連化成株式会社
(601)
モデルガン亀有工場
東京モデルガン工業
質
いちろく
亀有四-四四
☎(601)
気をつけよう
あまい言葉と〆切日!

まったく
こんな朝早くから
仕事かあ
かったるい
なあ〜〜〜
ふあ〜
そんな事
いっちゃあ
いかんぞ

われわれ
警察官は
地域住民を
犯罪から守るのが
使命だぞ！
そんな
もんか
ねえ…

本官は
四丁目を
まわるからな
まじめに
やるんだぞ
いいなっ
ああ
わかった
わかった
お出かけ前に
ひと声かけて
山下馬科医院
警察官は
住民を犯罪から
守るのが
使命だぞ
!!
まじめに
やれよ！

ふん！
えらそうな事
ぬかしやがって
わしだって
わかって
いるよ
まったく！

どんな仕事も
時々 息を
ぬかないと
つかれる!!

たのしく
仕事は
やらないと…
ん!?

おっと
このアパート
からだな

出かけていて
ルスなら
楽なんだが
なあ……
カーン
カーン

え～～と
山田一郎
山田…と
ここ
か…？

ドンドン

ギ…
あの
巡回…

押しうりはお断わりです！
バカ！押しうりがこんな服着てくるか！よくみろ！

あら お巡りさん…？ あんまり人相が悪いから 私 てっきり 押しうりかと………
よけいなお世話だ ほっとけ!!
えーと お宅は……たしか3人住いでしたね まちがいないね？
あっ 調べにいらしたんですか？

ちょっとおまちください…… 今 お茶を……
あ あの 奥さん ちょっ……

さっさと終らして帰りたいのに… まったく

ぼうず
いくつだ
ん?

ムッ

いけすか
ねえ
ガキだ
フン

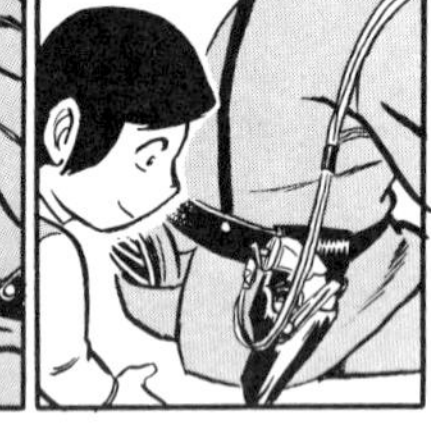

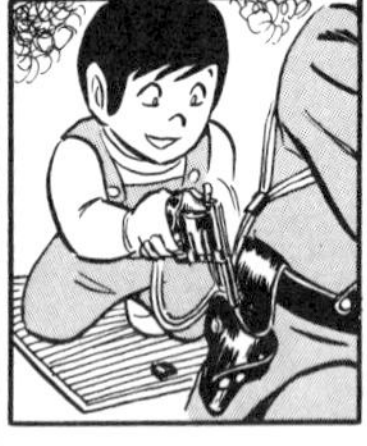

水でっぽう
とちがうん
だぞ!!
おそろしい
ガキだ!!

あ――っ
こら!
こいつ

う…う…

うわあああ〜ん

ぼうず
たのむから
泣くのやめろ
なっ！
いい子ね
くそこのガキめ

どうも
おまたせ
しちゃって…
トントントントン

さきほどは
大変 失礼を
しました

あ
あら？
お巡りさん
は？
ギャイイイ
わあああ

ときわ荘
なんで
警官の
オレが逃げ
なきゃなら
ないんだ？

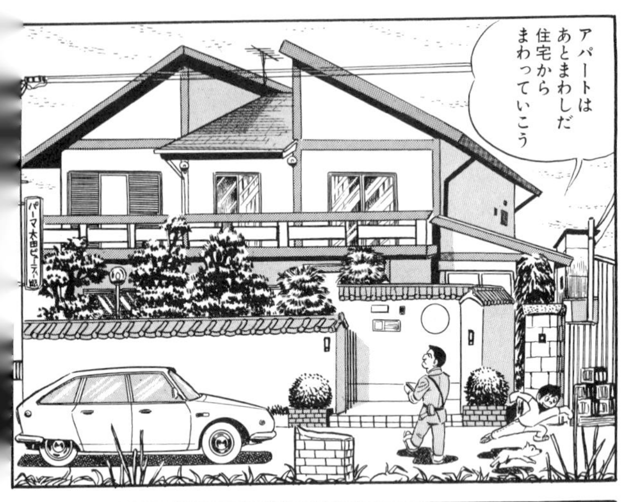
アパートは
あとまわしだ
住宅から
まわっていこう

ずいぶん
でっかい
家だ
なあ

ピンポーン

くそ
だれか
じゃましに
きやがった

はい
どちら
さんで
警察
ですが

警察
!!

は…はい
ただ今すぐ
参ります
はい

きさまら
ちょっとでも
音をたてたら
ただじゃ
すまんぞ
いいか!

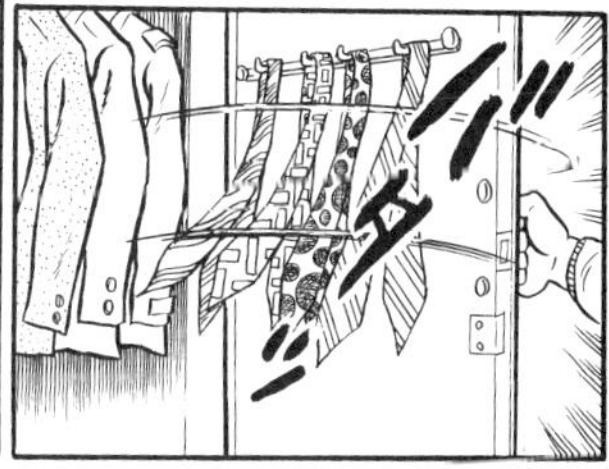

へたに
断わると
あやしまれっ
からな
だまして
おっぱらって
しまうか

演技力には
ワシ
自信がある
からな…

サッ サッ

ようし
これで
いい

いやあ
またせたね
きみィ
いや
どうも……

なんの用？
今ちょっと
とりこんでいて
忙しいんだが……
すぐ
すみます
よ！

山止さんの
お宅は
5人家族
だったね
山止
……？

ああうちネ
うち山止ネ
そう
山止さん
でしたネ

えーと
職業は？

そりゃ もちろん ドロボ… いや その…
社会福祉関係の仕事を…
ほお 福祉ね 具体的にいいますと?
なんというのか 恵まれてる人びとに救いの手をさしのべてもらって

そして少しでも 笑顔の輪が 社会に広がればと……
りっぱなお仕事です いや がんばってください
警察活動に対する意見や要望があればいってほしいのだが
要望?

そりゃあるよ あんた!
最近は警察が防犯指導や盗難予防の強化に気合いいれすぎてるよ
どこの家でも玄関には 2こ以上の 錠がかかっているし トイレの窓までしまってるし
おまけにパトロールの警官が ウロウロして 仕事が やりにくいったら…
仕事がやりにくい……?
いや その パトロールは大変でやりきれないだろうと……
ああ なるほど ねんく

ドン

ガッシャン

今 奥で何か われたような音がしたが……何かあったんじゃあ…？
いや なんでもないです 子どもが何か こわしたんでしょう

そういえば お宅には すみれさんという 歌手のお嬢さんが いるんでしたな

そ そうです 今度 お宅の署にも 公演にいくよう 話しますから ここで 話し ましょう

本当ですか そりゃあ 楽しみだ どうも…
よければ 私の好きな 春日八郎さんも よびますよ

あ あんたも 春日八郎さん ファンですか ねえ!?

えっ
それじゃあ
お巡りさん
も!?

いやあ
そうですか!
じつに
うれしい
ですなあ
いや
本官も
まったく
同感
ですよ

ここに来た時から
あんたが 他人のような
気がしなかったんだ
一度みた事が
あるようでね……
そうですか
やっ
ぱり
ねえ~

一度あった
ような
ねえ……
指名手配

ま まあ
とにかく
うれしい
ですな

明治座特別公演
みた?
じつに じつに
よかった!
もちろん
私は
春日八郎の
マネがとくい
でね!

そうか
ぜひ
本官に
みせて
くれ!
えっ
今!?

こう
八ちゃんが
舞台の
下手から
でてきて
ね……
そう
そう
感じでて
るよ!

♪わーかれ
せーつない
プラァット
ホーム♪
ベルがなある
ベルがなあるーと
ああ
それと
「長崎の女」ね
ありゃ
いかった!
海を
みおろーす
外人墓地でェー
きィーみと別れた
霧の夜　サファ
イヤ色のォー
すると
ファンが
きゃあ
八ちゃん
すてき
よ〜〜っ
きゃあ
きゅ〜
きゅぁ〜
すてき〜
ゴン
こっちの
気も
しらな
いで!
何やって
んだ!
ガサ
ゴキッ
ゴン
ゴン
ちくしょう
あのウスラ
警官め
ドジ!
ガッ
ガシャーン
ガタッ

今たしかにガラスのわれた音が

えっ？私にはきこえませんが…

ちょっといってみよう！
あ〜あだめ！

さっきからなぜ奥にいこうとするのをとめるんだ
本官にみせたくない物でもあるのか……？

いやそんな事ないけど
じゃいくぞ!!

ガチャ

ね何もどうってことないでしょ気のせいですよ

お嬢さんがみえんようだが？
きっと犬のドンをつれて団地にでも散歩にでかけたんでしょう？

そ　それよりさっきの調査早いとこ終わらせて帰りましょ

あっ　そうだったな　本官も　今日は昼までにまわらなきゃいけないんだ
手短にここでやりましょう　ここで！

えーと　それじゃ職業は
はい　ドロボ……

それはさっきやったじゃないすか！

そうだったっけ……じゃ次は？
あぶなくしゃべる所だったなまったく
ドキ　バキ

家族もきいたからじゃあ生まれは？

東京の台東区ですよ

何！
台東区だと！
ドキ

本官も台東だ
そのどこだ
な〜んだ
竜泉ですよ
………

竜泉だって
本官は生まれは千束だよ！
ホラ吉原神社のそばだ!!
本当？
千束ったらとなり町同士じゃないすか！

いやああ奇遇だなあ
するとやっぱ下町小学校だろ？
もちろんですよ
あそこにゃハゲの校長がいてネ

そうそう荒野のハゲ鷹ってあだ名をつけてね
ははは
いやあなつかしいですねえまったく

よく隅田公園までガキどもつれてトンボとりなんかいったもんだよ
ほおわしは吉原まで遊びにね…
小学生の5年のころかな

わしの家は吉原のどまん中にあってね

署も地方出身者がほとんどでね…東京生まれはふるさとがないなどとよくいってるが
ありゃヒガミだ江戸っ子にゃ山や川なんてセンチな物はいらねえ！横丁やドブ川がふるさとよ
同感だねまだまだ東京だっていい所ある住みいいとこさ

いやあおまえさん気にいった！今日交番にあそびにこいよ
そりゃもう　ぜひ一度いき……
い　いや今日はよすよ　今仕事やりかけだし…？

ガターン

さっきから気になってなあだれかいるのかな？

どうも2階で音がする
2階で……？

2階はまだ荒してないが…
しっしずかに！
この部屋だよ？
やはりドロボウだぞ！
あのバカ同じ家にふたりもドロボウはいってどうすんだドジ!!
ゴソ
ゴソ
つかまえるからな協力しろよ!!
えっ私が？

何いってるんだ
お前の家に
はいってるん
だぞ!
はあ
まあ
そうです
が………

となりの
部屋にいって
奴を追いだしてくれ
ここからとびだした時
ふんづかまえる

さっさと
いけ!
逃げられ
るぞ!
はい

なんで
ドロボウの
わしが
ドロボウ
つかまえる
んだ
世の中
くるっとる
よ!

あっ あっ
ドロボウ
ドロボウ
だあ!
ちっ!
みつかった
か!
やばい

この!!

いててて…
まてぇ!!
むんず!
警視庁の両津巡査長をなめんなよこの野郎!
おい早く警察に連絡しろ
えっ警察!

け 警察さんですか? はい ゆっくりきてね!
それからついでに……あ あれ
どこにいったんだ?

★週刊少年ジャンプ1976年45号

早うち両さん!?の巻

いい天気だ
絶好の
競馬びより
だなあ

わしも
日曜くらい
ゆっくり
競馬でも…
ん？
ヴク－！

な
なんだ!?

こ　こらっ
とまらんと
うつぞ！
ガルウウウウ

あい
かわらず
ですね
先輩！
キッ

先輩
……？

ズリ
コロ
ジ

パ〜ッ

なんだ
中川じゃ
ないか！

おまえも
あいかわらず
チャラチャラした
服きている
なあ〜〜〜
いやあ
おはずかしい
ほんの30万円
ていどの安物
です　ハハハ

また　今度
亀有へもどって
きましたから
よろしく お願い
します　先輩
うむ
おまえも
苦労した
ようだな……

じつは
今日は
先輩に
お願いがあって
きたんですよ

ほう
なんだ
いったい？
ぼくたちが
中心となって
コンバット・
シューティング・クラブ
を作ろうと
運動してるんですよ

コンバット
シュークリーム
なんだ そりゃ？

つまり
拳銃射撃クラブ
です 早射ちの
腕を競うんです

そこで 先輩に
ぜひ 我われの
クラブの顧問に
なってもらい
たいんです
ほ
本官が
か？

もちろん!!
この間
検察庁で一年間の
発砲件数を
調べてもらったら
先輩がダントツで
トップ！
係の人も
タイコバン
おしてました

先輩以外の
適任者は
どこの署にも
いません！
ぜひ 我われの
リーダーに…
リーダー？
うむ そ…
そうか…

ドドド
ん？きたな
先輩部員を紹介しますよ！
バババ
イイイ
ドドド
ギャ

交通指導取りしまりの冬本君です
こりゃどうも始めまして……

……………!!
ガヤ
ガヤ

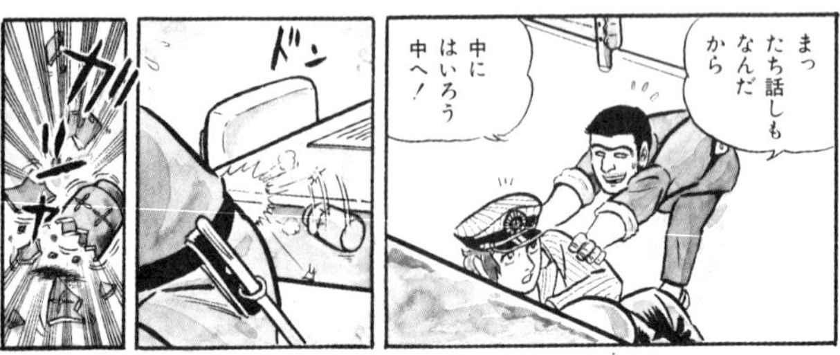
まったち話しもなんだから
中にはいろう中へ!
ドン

ピタッ
うぎゃっ!!
あ どうも物音がするとつい反射的に銃をぬいてしまうんです すいません

おい中川 クラブ員っての は みんなこんな連中なのか?

まあ だいたいそうですね みんな拳銃がとくいな人ばかりですからね……
はい

まるで外国映画にでてくる様なスタイルじゃないか
かれも「ダーティーハリー」の白バイ警官にしびれているんですよ フル装備30万円かかったとか…

銃もみてください ポリス用の4インチでなく 6 1/2インチというカスタム・バレルで 右側には かれの
ストックはハードスチールいり硬質ゴムグリップですから手にすいつく様です
この拳銃だけでも 40万円以上かかってますよ
もったいない それだけ金があれば なんレースできるか…
かれは曲うちがとくいなんです
曲うちって……
ま まさかここで…
しっ… 始めますよ
サッ

ガン
ガン
ガン
チャッ
どうですか!! わずか2.5秒ですよ!
ばばかっ ここは射撃場じゃないんだ
そうそう先輩にすごいおみやげがあるんですどうぞ……
ドン
大型拳銃がほしいといってたでしょう
バッ
カローラアニチュアです!!

うむ
重たいが　なかなか
かわったかっこう
してるな
ごっつくて
先輩に
ぴったりかと
………
本物
そっくりに
作られた
かざり銃
ですがね
中川
これどうやって
うつんだ？
弾倉を
いれて
このコッキング
ピースを
ひくんです
そして
はなせば
自動的に
そうてん
されます
ふーん
もどす時
うまく
やらないと
指を　はさ
んだり…

いてっ
!!
あっ
あぶない
どうっ!!
ゴキッ

それ1キロ以上あるんですよ大丈夫ですか？
バカにしやがってこんな物いるか!!
わしゃ顧問なんぞやらんぞ！
あっ先輩！
ガロン
サッ
ぎゃあ～
あまたやっちゃった～～～
まったくもう
ところで両津先輩神わざといわれるぬきうちをみせてください
えっ神わざ？
そうだぜひぼくもみたいと思っていたんですよ

むふふふ… 神わざか…… そうか わしも少しょう 拳銃には 自信が ある からねえ
し しかし 今は ちょっと…
おくゆかしい! いや名人は ちがいます ねえ
いや べつに そんな
あのう お巡り さん…
コツ

ピタッ!

道をききに きたやつまで おどかす やつが あるか!
ヒクヒク

あんた
どこへいきたいの？
いってみな
えっ
あ　あの
県人会館は…
ああ！
ここから
ちょっと
あるくよ

ほら
あそこに銀行が
みえるだろう？
あれを右に
まがり3つ目の
信号を左に
まがって……
は　はあ
あれを右に
まがって…
えーと
そして今度は
12こ目の信号を
右にまがり
22こ目の信号の
左かどだ
わかったな

3つ目の信号を左に………そして12こ目いや13こ目の信号を…
12こ目だそこを右にまがるんだバカヤロウ
12こ目の信号を右にまがって今度は12こ目…いや31こ目の……いや　その　えーと
やい！いいかげんにしろ！
きさまと数かぞえてあそんでるほどヒマじゃねえんだ
やった！0.9秒だ!!
うーん　うわさどおりの早さだ
しかも撃鉄もおこしていた　これで標的にあたればおそろしいな

………
東京はなんておっかねえんだべえ
おまえたちそんなことより車かたづけろもし班長にみつかったら…

ピーピー

…………

?

なんの連絡です先輩?
うむ
暴走族が水戸街道からこの環七にむかっているから注意しろとのことだ!

ほお
そいつぁおれの本職だな

こんな昼間からくるたぁおもしれえや……
ギュッ

よし
ぼくも手つだうよ!
ギュッ

ブロロロ
ドドドドド
さっそくおいでなすったぜ
フフフ
お
おい

わしの派出所のまえでもめごとおこすなよ
わかってます

暴走族のしょくん おとなしく 帰りなさい! さもないと いたい目にあいますよ

ちぇっ うるせえ
無視しろ!

無視
…したみたいね あいつら
いちおう忠告したんだけどなあ

それじゃ先輩
ちょっとあいさつしてきます
バウーン
ドドドドド
もうわしゃしらんぞ!
かってにしろ!
……とほっておくわけにもいかんし
あのバカどもが…
ドドドドド
おいポリ公がおいかけてきたぞ!
ほっとけ何もできやしねえよ
ビィーン

ビシ
ビシ
ぎゃっ!!
ドドド
キキ
ガッ
金王酒店
ガバ
こらーっ
おまえら
やめんか!
やめるんだ
ドギューン

中川！何も　そこまですることは…
ブロロロ…
先輩　あぶない!!

ドガッ

くそ～～～
やる気かっ
よーし
上等だ!!

相手になってやろうじゃねえか！このやろう

中川！おれにつづけ！
やつらをひとりも帰すんじゃねえぞ！

………
………!!

★週刊少年ジャンプ1976年47号

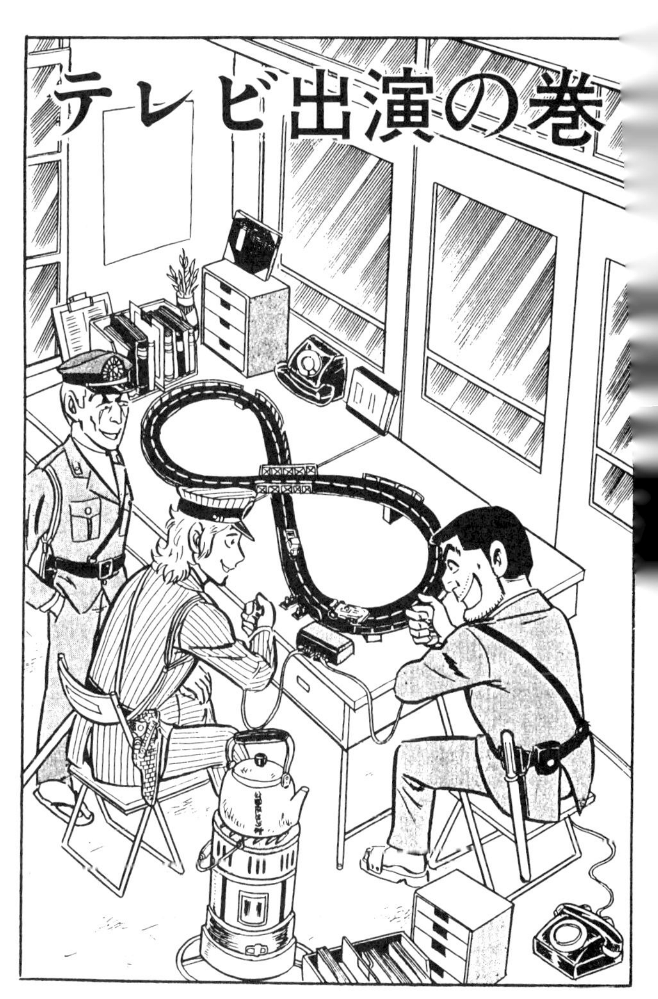
テレビ出演の巻

それー
ぶっちぎりだあー
ビィィィィ
なにをちょこざいな!

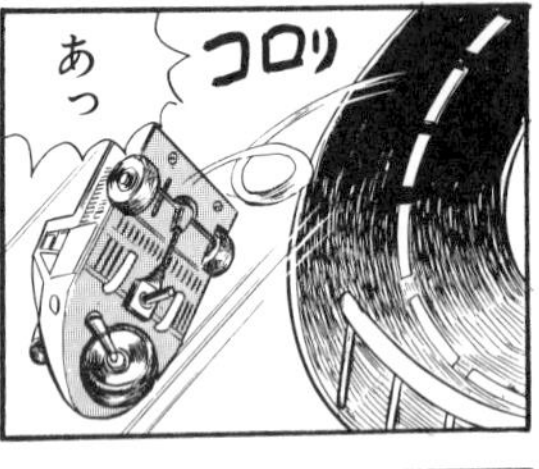
コロり
あっ

ダイハツミゼットでぼくのタイレルP-34とはりあうのがそもそもまちがいですよ
よし中川今度はおれのローライ70とやろう!
ちくしょうめっ!!

くそ!いい所なのに
へへへほら両津交替だぞ

やはり3輪だとコーナリングが弱いなあ
それ
なにくそ!

どうだかる～くぶちぬきだぜ!
うぬ!おかしいなあ……
シャアー
シャーッ

わしの番だな 今度は トヨタ バッテリー フォークリフトで 勝負だ!
バ バッテリー フォーク リフト… !?
どこで あんな プラモデルを 買ってくるのか なあ……!?

ちゃんと 走るんだろうな その車?
そう バカにしてると 今に いたい目に あうぞ!
ようし 次は ミラージュ MK-1を だすぞ

はい こちら 公園前 派出所…
ガチャ

く くそ! ようし 奥の手を………
はい… はあ!? 了解!
ムリムリ そんな物で かなうわけ ないよ

あーっ きたねえ おれの車を もちあげ やがった!
へへへ どうだ 走れる ものなら 走ってみろ
先輩 !!

いたい目にあうといったろうが……へへへなんだん　中川
ヒマ派出所から電話なんですけどね…

親指がそちらにむかった警戒せよ…と
なんのことですかねいったいい?

やばい!グランプリはおひらきだ早くかたづけるんだ!!
どうしたんですあわてて

ばか!おまえも手伝え!
課長が視察にくるんだよ

そこのウイスキーのカラビンをかくすんだ
そんな所にタコヤキをおいとくんじゃない!机の中へいれとけ
ズズズー!!
戸塚　おまえ立番やれ!上段にかまえろ

もうすぐくるな!
チラッ

中川仕事をしてるふりをしろ電話でもしていろ
えっいったいどこへ?

どうせウソだ
どこでも
かまわん
早くしろ
はあ
それなら
天気予報
でも………
ジ
コロコロ
きたぞ
いいな!

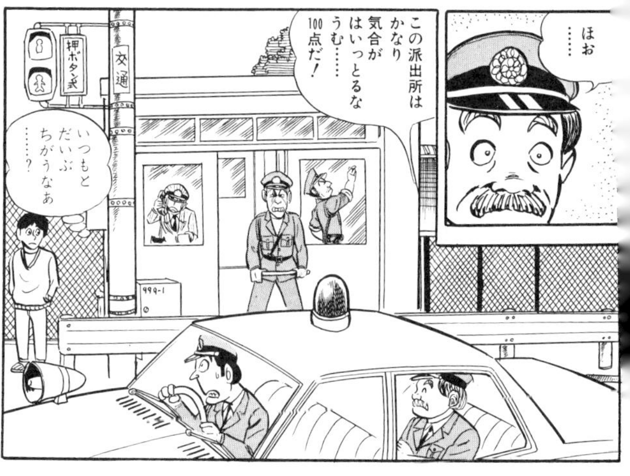
ほお
……
この派出所は
かなり
気合が
はいっとるな
うむ……
100点だ!
交通
押ボタン式
いつもと
だいぶ
ちがうなあ
……?

よし!
やっと
いったな
ふあーい
つかれる
なあ…
もう
がまんしろ
ボーナスに
ひびくから
な!

おかげで点数がかせげたぜ ひひひひ
ジーコロコロジー

あーもしもし そちらヒマ派出所か!?
どうだ相変らずヒマか!?
ははは バッチリよ いいタイミング

ヒマで退屈でこまっているって!?
わかったわかった 今度はビールをさしいれるからよ
戸塚先輩パトロールの時間ですよ

ん! どこへいくんだおまえたち…?
警らですよ

そうかじゃあおれがいこう 中川 おまえ留守番していろ

めずらしいですね 先輩がいくなんて…
たまにゃ外にでんとな!

雪でもふらなきゃいいけど…

キィィィーー…

今日はいい天気だなあ 散歩がてらに 丁度いい
どうだ 江戸川の土手にでもいってみるか

土手で昼寝でもしようじゃねえか
うむ グッドアイデアだ さっそくタクシーを…
ここじゃひろえねえから 本通りへいこう

放送中
警視庁

えー
それでは
これから
「太陽にうなれ」
のロケを
おこないます
ご協力
おねがい
します!

警官役の
ふたりは
どうした
?
はあ
ちょっと
私めが
よびに…

おい
早くしろ
もうすぐ
本番だぞ
わかっ
てるよ
もう
でる

おまち
どう!
さあ
いこう
いそげ
おくれると
どやされる
ぞ!!

あいつら
ちょっと
変だな
両津…
署じゃ
みかけん
ツラだ!

おい
そこの
ちょっと
まて!

おまえら
どこの署の
ものだ!?
いや
署は
どこだと
いわれ
ても…
撮影が
ありまして

あやしい
やつだ
ちょっと
こい!

そんな
時間
ないん
ですよ

きさま
ニセ警官
だな!?

戸塚!
かまわねえ
から
やっちまえ
おう
!!

おそいと
思ってたら
ここで練習
してたのか!

アルバイトの
役者だからと
思っていたら
なかなか
どうして
芸熱心な
ものだ

そうだ
感心してる
場合じゃ
ない…

おい
練習は
その辺に
してくれ!

もう時間が
ないんだよ
カントクが
まってるんだ
早くきてくれ
な…
なんだ
?
カン
トク…?

両津
カントクに
知り合い
いるのか!?

じょうだんじゃ
ねえ
そんなもの
知るか!

かってに
現場を
はなれちゃ
こまるよ
まったく

あ ちょっと まって ください

メイクが 落ちてますわ もう一度 しますから こちらへ…
しても しなくても どうでも いいんじゃ ないの このふたり…

パタ
パタ
パタ
はい おまち どうさま でした！
ゴホッ
ゴホッ
カントク 用意が できまし た！

このふたりかね 警官役には むいとらんね むしろ 悪役のほうが 似あうんじゃ…

いやあ どうして なかなかの 役者ですよ このふたり
そうか それなら まあいい

近藤正臣さん それじゃ警官に うたれるシーンを とります 迫力をだして くださいね
それじゃ ここに ふたりは たって！

ははあーっ
わかった
ぞ!
何が
わかった
んだ
両津…!?

ほれ
明るい警察
のPR用に
だしてる本が
あるだろう
警察のあゆみ
昭和52年度
都民のまもり
警視庁
あれに
おれたちを
模範警官
として
のせるんだぜ
きっと…

それじゃ
おれたちゃ
モデルって
わけだ!
悪く
ないな
ひひひ
さあ
用意
3・2・1

はい
キュー
カチンコ
ジー
むっ
なん
だ!?

カット
カット
!!

あのにげる男に
むかって
「にげるとうつぞー」って
さけんで
銃をうつんじゃ
ないか!
しっかりして
くれよォ
え?
じゃ 本当に
うっていいん
ですかい!?
TTV
あたりまえだよ
えんりょなく
やってくれよ
ドカーンと!!

だめだめ
NGだよ
なん年役者
やってるの!
イモだねえ
イモ!
ポン
ポン
えっ
何☆

ようし
警視庁
公認と
あらば…
はい
いくよ
用意
3 2 1
キュー
カチンコ
このやろう
にげると
ぶち殺す
ぞーっ!!
ガラの
わるい
役者だ
なあ……
ズ
ガ
ッ
ビ
ぎゃあ
ーーっ
あの
銃は
本物だあ
ザ
ジー
はい
いいよ
近藤くん
……
カ
カントクに
いってくれ
……
実弾
だあ…
チュン
いい!
いいぞ!
真に
せまって
いる!

もう一度 アグネスと スプリンター LBのCFを や…やりたかった…
ガクッ
きまった 近藤くん 迫真の 演技だぞ

カントク バッチリ です バッチリ
ようし カット!

いやあ よかったよ きみ ちょっと 下品だったが よかった!
いやあ それほど でも…… はははは

次のカットは あこぎな 西村組に パトカーを うばわれる 場面だ
きみたちは 抵抗するが あっさりと やられてしまう わかってるネ
へい

パトカーを とられる所 なんて なんにする んだろう
しらん いわれた とおり やりゃ いいんだ
バタッ

3 2 1
はい キュー

ドヤ ドヤ ドヤ
警視庁

おい！
おれたちゃ
西村組の
もんだ この
パトカー
いただいた
だいぶ
のってるよ
この男！
ちょっと
でてこい
！
バタッ
ザッ
そうれ
やっち
まえ
うおーっ
おーっ
ボガ
バキ
ボガ
ゲッ
両津よ
いくら
なんだって
これじゃ
たまん
ねえぜ!!
うわっ
な
なんだ
よ
ようし
！
もう
役者は
やめだ!!

ちょうしにのるんじゃねえこのーっ
ドギャッ
どうなってんだ!?
戸塚さまをなめんなよ
このっ
ドガッ
両津いくぞーっ!
おう
うわっ
ガヤ ガヤ
カ カントク警官がやられるはずなのに…これじゃあ逆に勝つみたいですよ
いや警官というよりむしろヤクザのでいりといったほうが……
ドキ
ボカ
しかし迫力はあるなあ…
ドテ
バシ
空手チョップ!
力道山

刑事物
じゃなく
て……
仁義なき
たたかい
にしよう
かなあ…
この映画…
あらかた
かたづいた
ようだな
おれたちに
かなうと
思うのか!
このっ!
ロケはこの辺
でやめてあとは
局へいって
とろう!
のこりは
スタジオで
とりますから
車にのって
ください
おう
すまん
な!
本庁に
スタジオが
あったか
……?
しらん!
ついてきゃあ
いいよ
ついてきゃあ

東京テレビ
TTV
6スタはこちらですどうぞ!
本番中
テレビ局とはなあ…警察もハデになったな
ごうきなものだよ!!

ん!?
ん!? 何やってるんだ…?
公開生中継
本日のゲスト

これちょっとみていこうアイドルがでるぞ…
ちっいい年してまったく両津は……ん!?
おーっ好みのアイドルがでてるこれはぜひともみよう!
公開生中継
ちっ!似たようなもんじゃないか

中学生やガキばっかりじゃねえか
満員だな!
N04
すまねえなもうチョイそっちへつめてくれるか?
ガイ
N04
おーい戸塚あいたぞ早くこい!
くくくやっぱじかにみるといいな!
ままったくだな…しびれるぜ
サインもらおうなっ!今すぐ!
今すぐ?

こういうきかいをのがす手はない!
いっしょにテレビにうつるなよーし!おれもいく
キャアーーッ
だだれかとりおさえろ!!
きみたち本番中だぞ!

★週刊少年ジャンプ1976年13号

派出所でお茶を…の巻
交通
亀有公園前派出所
秋の交通安
本日の交通事故
亀有22
警視庁

両津！戸塚！酒を　もちこむんじゃないぞ！
わかっておりますよ班長どの

やれやれ年だねえ班長もだんだんくどくなってくる

引きつぎのたびに必ずイヤミいってくな
まったくだ！

原稿は早めに！
先週は「おまえたち勤務中にテレビをみるなんてじつにユニークな警察官だな」こうだぜ！
それ本当か？戸塚………

どうして班長がテレビをここにもちこんでるのをしってるんだ？だれかつげ口でもしたのかな……？
さあね？おれたちが帰ったあとさがすんじゃないかあの人 根がこり性だからな………

それじゃこのマージャンパイやエロ本も別な所にかくしたほうがいいかもな
そのほうがいいね でももうかくす所ないだろ？

さがせばけっこうあるもんだよ……

そんな所にかくして火事の時はどうする気だよ？

火事になったら……？そしたらにげるんださっさと！
ジャラ
ジャラ
おそろしい人

お巡りさん事故です！
早くきて！

両津！事故だってよおまえいってこいよ
おれ疲れてるんだパスする…
両津はすぐイカサマやるからいやだよ
ばかいうな！それならサイコロ……
どっちでもいいから早くきてよお！
かってな事いうなそれなら花札で勝負しよう

うるせえなもう……それならふたりでいこう！
よしそうするか
おまえここでるす番しててくれ
ポン
ちょっとそんな!!
電話あったらちゃんとメモしとけよ！
警察もだんだん変わってきたな………

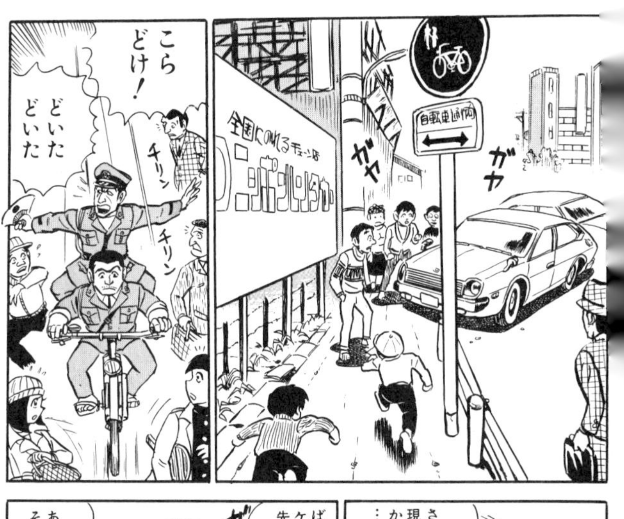
ガヤ
ガヤ
自転車通行可
全国にのれるチェーン店
ニッポンレンタカー
こら
どけ!
どいた
どいた
チリン
チリン

さあて
現場検証
からいくか
………
ばか
ケガ人が
先だ!
ガッタン
あっ
そうか

こらっ
近よるん
じゃない
しっしっ
こら
ん!

秋山組
ひっぱたくぞ!このガキ
ガヤ
ガヤ
工事中 立入禁止
おそろしいお巡りだ……
ガヤ
ガヤ
ワイ
やりすぎだぞやりすぎ
ひっこめポリ公!!
ガヤ
ガヤ
今ポリ公といったやつはどいつだ!
前へでてこい前へ!
きゃあ
きゃあ!
きさまかっ?
おまえだな?
人ゴミの中でしか文句をいえんのは日本人の悪いクセだ
おい両津!

両津
事情聴取したんだがどうもこっちの車のほうが
が……
うむスプリンターのほうが悪いなあうん……
どいつだこの車にのってたやつは？
あの…
運転していたのはわたしですけど…
工事中
そそうですかあいやあまったくはははは

おまえ！外車のほうの運転者だな！
マセラティボーラなんてなまいき！おまえが悪い!!
そんなお巡りさん………

むこうが一時停止をおこたったんですよ……スピードだって…

人に罪をなすりつけようというおまえの根性が……
よせ！戸塚
グイ

まったくいい女みるとすぐまいるんだからなだらしない！

警官はわしみたいに公平無私でなけりゃいかん！

あんたあそこの一時停止の標識が目にはいらなか…

わあーーっゆるしてーっお巡りさん！私顔はいいけど目がわるいの！
ぎゅっ
ううっ

わあ あああ…
わ わかった そうだ! むこうのせいだ すべてあいつのせいだ
ポストが赤いのもあいつのせいだ!

公務員の給料が安いのもあいつのせいだ!
スッ

国鉄が赤字なのも……
おい両津!

うるせえ今いい所なんだ!

??

アイス百円
ワイワイ
ガヤ
ガヤガヤ

お おい 事故処理がすんだら さっさと帰ろうぜ

書類も全部おわったがあれ あれ……
ん?

あんないい女
このまま帰して
いいのかい？
示談でカタが
ついちまったから
もうあえんぞ
そ
そうか…
このチャンスを
のがしたら
一生 あんな
美人とは
お目に かか
れんかも…
そうだ！
いかん！
帰しちゃ

しかし
もう事件は
すんで
しまった
し……
そこ
で……
ボソボソ

よし
その線で
いこう

ちょっと
まちなさい
まだ 事情
聴取が
残ってる
えっ？

それなら さっき むこうの ヤクザ風の お巡りさんに 全部話しました
それがね 重要な事で ここじゃ まずいから 交番で……

それじゃ 場所教えて くださる 車で いきますわ

今 仲間が 電話で車を よんでるから そっちの車で……

おっ どうだ すぐくる かね?
あたりまえよ 日本警察の リスポンス・タイムは 世界有数だ!!

??
…………

おっ きた
ブロロロ

プァン プァン プァン プァン プァン プァン
まあ! あの車でいくの?
本当早いなあ 1分30秒かあ…
なっ 平均より2分も早い
表彰ものだよ… あのパトカー

巡査3名 ただ今到着しました
うむ ごくろうだった
バタッ
バタッ
キョロ キョロ
銃をもってる凶悪犯はどこです?
そういったほうが早くくると思ってね ククク ッ…
ジロッ

みんな ゆだんするな 犯人はこの近くにひそんでるぞ!
ねえ ちょっとあんた

はっ?
ひとり運転手をかしてくれ パトカー使いたいの
じゃ彼を!
そうか…

ところで巡査長どの犯人はどこにかくれているんでしょう?
ん 犯人か

犯人はね あそこの駄菓子屋の2階にひそんでる

武器をすてておとなしくでてきなさい!
きみの両親け泣いてるぞ!!
アイス

やはりパトカーは速さがちがう！
あら？ここは……？

……はい
それがるすなんです

あただ今帰ってきました……

はい電話ですよ

なんだおまえは…？

えっ？

るす中に
かってに
派出所に
はいるな!
ドロボウ!
まったく
ゆだんも
すきも
ないですね
お嬢さん
ここじゃ
人目も
あって
おちつか
ないから
奥へ……
まあ
むさ苦しい
所ですが
楽にして
ください
いつも
こういう所で
事情聴取を
やるんです
か?
え?
まあネ…

おい てめえ
お茶ぐらい
いれろ!
気を
まわさんか
いて!

じつに
散漫な
男でしてネ
ははは
かってな
事いい
やがって

ところで
お嬢さん
ご趣味は?

あら
そんな事
まで
調べるの?
そりゃ
もう
庶民の警察
ですからね
おたがいの
深い理解が
あってこそ
信頼がうまれ
るのです
趣味は
テニス・読書
剣道・手芸
などですわ

わしの
趣味は…
競輪 競馬
花札 マージャン
パチンコ……
共通に
なる話題が
ひとつも
ないな……

いや
ひとつ
あった!

本官も
読書が
すきで
して……

あら そうですの
私は アガサ・クリスティが すきなの お巡りさんは?
アガサ…… あまり きかない 名前だが 新人かな?
本官は 本には くわしいんですよ
まずトップは といえば おげれつ漫画の ジョー山田
次は エロ漫画の ホップ関根
最近じゃ ルー大田の 漫画が いいね

しかし なんといっても 秋本が……
あ… あき……
しら——
おい! 茶は まだか
いったい 何を してんだ
おーい お茶!
カラン
コローン
何を いったい ……
ここにゃ 酒とビールしか おいてないから 外まで 買いに いったんだぞ

ほう ティーバッグかあ
上等だろう……
TEA BAG
10 BAGS

金はワリカンだぞ!
わかったよ!

へへへ お口にあうか? まあグッと
あら 紅茶ですの 私大すきなんです

これにブランディー少しいれるとおいしくなりますよ

そうだ!! バカもの 気をきかせんか このーっ

じつに散漫な男でして
すぐにいれますので少しょうおまちを ハハハ

なんだよ めんどうくせえな
ば〜か いいか ブランディーも酒だぞ! それをのめば…

そうか！よっぱらうってわけか！
さすが両津！
仕事以外はじつに頭がきれるなァおまえ……
えーとブランディーないな？
それじゃ夜勤用のウィスキー
!?
バカそりゃ焼酎だぞ！
このほうが早くよいがまわる!!
トクトク
ままぐーっとあけてください
ブブーー
おっだれかきたぞ
紅茶より焼酎の量が多いなあ…

あ　部長！
いい所にきました
シカ
シカ

書類をわすれてな……
そんな事より部長に美人が会いに…
ガサ
ガサ

なに！
わしに会いに
！

いっしょに飲みましょうよ
！
ガラ

あらあ
パパア～
ヒック

えっ
パパって
…じゃあ
部長の娘？

両津巡査長
パトロールいってきます
ダ

両津！
おれもつれてってくれ――っ
いそげ！
つかまったら　こりゃ半殺しだぞ！

★週刊少年ジャンプ1976年46号

なめるなよ!!の巻
亀有公園前
仮派出所

おい
お茶が
はいったぞ
ガラ
あっ
あっ
ガシャン
ぐわっ
あちちっ
!!
ガタッ
やけど
するじゃ
ねえか
このバカ!
いて!
何すんだ
よお〜
この!
ピンクレディー
特集号

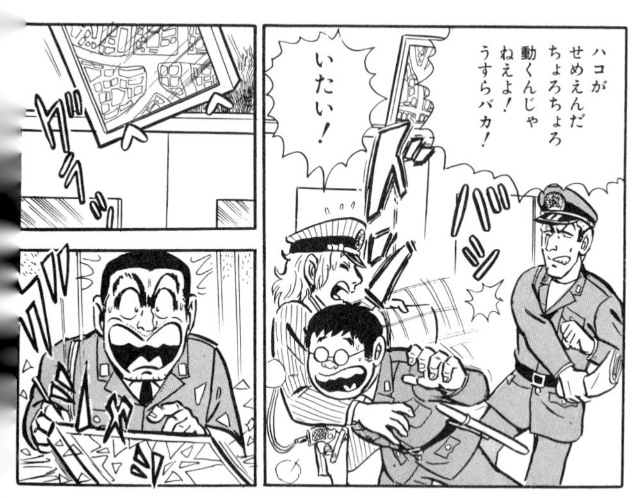
ハコがせめえんだちょろちょろ動くんじゃねえよ！うすらバカ！
いたい！

てめえらいいかげんにしねえか！

先輩そんなこといったって…ここがせますぎるんですよ

だからひとり外で立番してりゃあいいといっただろうが！
そんなァ寒いからいやですよ先輩がでてりゃいいじゃないですか？

そうだ！両津が立番しろ
もとはといえばおまえのせいでこのありさまなんだ！
しつこいなまだいってるのかよまったく！
あたりまえだ
おまえが派出所を丸やきにしなきゃこんなバラックで勤務するハメにならなかったんだ
うるせえ！すんだことをガタガタと…
まきぞえくうのはいつもおれたちなんだ!!
くわっ
この！女みたいにいつまでも……
両津！どこまでやりゃあ気がすむんだ！
バカ！
ガタ
ガシャ
こんな毎日だなんて……いなかのおふくろ想像もつかないだろうな……
ガタ
ガタ

両さんよ パトロールに いこうよ ここに 4人じゃ 息が つまるよ

ちぇっ わかったよ いくよ! いきゃあ いいんだろ
そうそう 体を使わんと

くそ! かってなこと いいやがって おれたちが いないと 思って さぼるな よ!
ふう 2時間 ぶりに すわれたぜ

机の中にある ウィスキーは 私物だから のむんじゃ ねえぞ
わかったよ 早くいって こい!

まったく にぎやかな男だ ああいうのと いっしょに いると 身も心も ボロボロだ

部長も火事の件 いらいずっと 休暇をとって 休んでますが 何してんでしょ ねえ?

しらん なあ…
どこか 海外旅行でも いって 楽しんでるん じゃないの?

ん？何やってるんだ寺井！

ここは駐車禁止になってるから……

ちぇっ！マメな男だなあ
そんなのミニパトのねえちゃんにまかせろ！いくぞ！

なんだ!?

両津先輩お元気ですか!?
おっ交通取りしまりの冬本か！

先日の新年会じゃどうもごちそうになっちゃって……

いや先輩としてとうぜんの…しかし…☆

なんだこの車？これでもパトカーなのか？
ええ県警の交通係の連中からちょっとかりてきたんですがね…

冬は2輪じゃ寒くて…やはり車が一番！
ちょうどいいこれでパトロールしよう寒くてかなわんからな

どうぞのってください
よしのるぞこい！
しかし……
栃木県警察

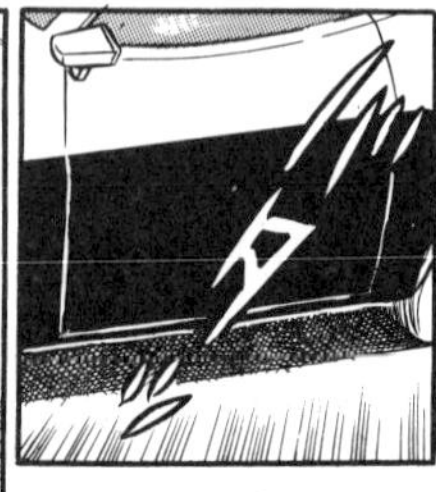

ブオオオ

うむ
わるく
ないな!
そう
ですか
ははは
はは

キキッ

どうです
せっかくだから
富士山でも
みにいきま
しょうか?
よし
いこう
!

東名では
バッグンの
性能が……
ガーン

今
予定が急に
かわりました
ガ
キ

ダッ
ひゃあ——っ
どうしたんだ寺井?

今のなんともなかったの両さん?
いつも中川のメチャ運転でならされてるからなへっちゃらよ!

前のアベックの車が
信号無視した上
あてにげしてる
もんでね
ちょっと
こらしめて……
なに
アベック
だと!
よし!
やっちまえ
てってい的に
やれ!!
そりゃ
もう
!!
ファン
ファン
ファン
ファン
パチ
やっぱり
あの車
パトカー
だわ……
どうする
三郎?
ドゥ
ギャギャ
ゥン
はははは
あんなムスタング
めじゃない!
こっちはターボで
強化した
2000GTだ!
ブッちぎ
りだっ!

あっ！
にげられる
よ〜し
もっと
左に
よれ！
えっ？
ビタッ
ドドドド
ギャギャギャ
きゃあ
ーーっ
ビッ
ビッ
うわっ
ギャアアアア
さすが
両津先輩
ですね！
なんの
これしき
ははは
おそろしい
人だ……
あーっ
ふたり
にげ
ます
おえっ
てってい的に
やれーっ

あっ
まだ
おいかけて
くるわ
ファン
ファン
しつこい
お巡りだな
!
よし
こっちの
せまい道に
はいりこめば

へへへへ
ここまでは
大きな外車
じゃはいって
これんだろ
ふう
ギギギギ
なに!?

ファン
ファン
ファン
うわあっ
まだ
ついてくる!
ギギギギギギ
きゃあ

いいぞ
交通違反は
てってい的に
おえ〜っ
ぼくも
しつこいほう
でしてネ…

ファン
ファン
ファン
バアン
ググウー

あれ!? どっちへ にげたのかな?
くそ! ぜったい にがさんぞ!
カラ コロム
それにしても しつこかったわねえ
まったく でも まいたよ!
車はどうする おきっぱなしだけど……
なーに また おやじに たのんで 別のをかうよ 心配ない
ファン ファン ファーン
まだ ウロウロしてるな ちぇっ!
しばらく ここに いましょう
ファン ファン ファン ファン
きゃあー

ファンファンファン
バリバリバリバリバリバリ
きゃあ
うわあ――っ
パアン パアン パアン
お客さん食券を先にかってください!
ギギ―

とことん
おいかける
主義でね
交通規則
を守らんと
いかんよ!

ねえ
ちゃん
コーヒー
一ぱい
こう♪
ん★
どうした?
コーヒー
だよ
コーヒー
は
はい

もう
ひとりの
かたは?
ねてるよ
つかれたん
だろう
きっと……

さっきの
銃のうで前
さすがです
ねえ!
両津先輩
いやあ
ほんの…
実力だよ
ははは

おれたちから
にげられると
思うのが
あまいんだよ

警察官としての正義感でついこの手が銃に…
きゃ
きゃあ

おっ こりゃどうも レシートはむこうのヘルメットにまわしてくれ

仕事のあとの一ぱい！じつにうまい!!
うーむ グレイト！

この充実感がなんともいえず…
ん☆
ドヤ
ドヤ

やばい！警官がきやがった!!

ま べつににげることはないがこの中にかくれてよ
いろんなことをねほりはほりきかれるのもめんどうくさいしな！

へへへやはり進駐軍の車は大きくていいねえ
うちの署のパトカーとは大ちがいだ
へへへハンドルの感じもいいこうもって……
そしてこのあたりをふんで
きみかねこの店に車ごとはいってきたのは？
ちょっとききたいことがある
もう少しまってくださいもうすぐ取りしらべがすみますから…
なに！きみが警官だって！
ええ
あれ☆たしかここに車が……!?
両津先輩もいなくなってしまった…？
信じられん手帳をみせてみろ！
いいですよ車の中に……

え
ええ〜と……☆
ブレーキ……は…？
これか…？
グィーン
うぎゃ
ガーン
わあ
ゴン
ビィイイイイーーン

もうしらねえ!!
かってにはしれ！
うーん
ななんだ★
ブロロロ…

あ あれ？ どうしたんだ 両さん？ 運転してるの……★
ブロロロロ!!
み みりゃわかるだろ

あの 交通係の男は？ まさか？
ブロロロ!
いねえよ！ 車ン中にゃおまえとおれだけだ！

りょ 両さん かなりスピードがでてるよ おれ おりるから…… とめて…
運転できるくらいならとめてるわ！ 自転車以外はのったことねえ

こっちだって気を失いたいくらいだ！ ちくしょう

ビイイイイ
きゃっ
きゃっ

あっ!! 歩道にガキたちが!!

なむさん！ まがれ——っ!!

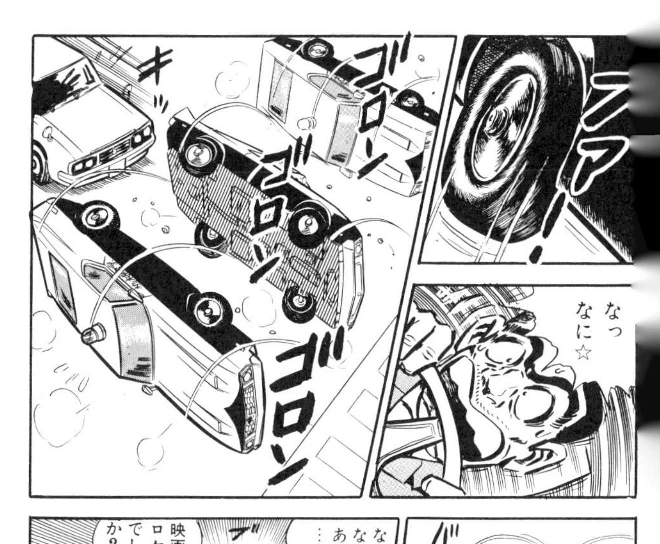
フアー!!
キッ
ゴロン
ゴロン
ゴロン
なっ
なに☆

バタッ
ブオオオオオ
な
なんだ
ありゃ
…?
ブイイー!!
映画の
ロケ
でしょう
か?
両津たち
おそいじゃ
ないか!?
ふあー
むかえに
いきま
しょうか?

★週刊少年ジャンプ1977年8号

こりゃまたまよってすまった

どこか交番は…
あ　あった

あの交番をたずねてみるべ…
よっこらせっと…

始末書の両さんの巻
亀有公園前派出所
亀有公園前
交通

よっこら
せっと

あ あんのう
ちっくら
おたずね
すっけど…

……
……

ゴクン

よ
ようし
……
いいぞ
……
にげきれ！
ドンケツ
シンボリ…

なに!?

きたか！
ハイシチズ
ンめ！
な
なにを
こしゃく
な
くそ！
がんばれ！
ドンケツ
シンボリー
オレが
ついとるぞ！

……
……

だめだ！だめだあ！
！
ガタ
おれをうらぎるつもりか！ドンケツシンボリー
ガタ
特券10まいかったんだぞ10まい！
ガタ
ガタ
ガタ
あっ……
………
……
ぽかっ
ハイシチズンが一着です
トンケツシンボリーはペケでした

………
………
あ あのおまわりさん……
ピ～ピ～
シンボリ～
みじめ～
なんだときさま本官をバカにする気か!?

おまわりとはなんだ！
巡査さんとよべ！巡査さんと！
！

そんだら巡査さん……
道さききたいんですけど…

どこへいくんだどこへ!
ちょっくらまっててくださいえ〜〜〜とあ　あった!
ジャブ

友倒れ工業株式小会社……
この近くときいたんだけんど……
友倒れ工業ね……え〜〜〜
友倒れ……と

きいたことないねそんなの!まちがいじゃないの
そそんな事ねえす!
たすかこのそばだと駅前のおまわりさんにきいたす!

田舎から10時の汽車で上野さいてここまできたども……
なんせ東京ははずめてなもんでハー

駅前の交番の人は親切に地図まで書いてくれたども…
近くまできてまよっちまって…

まよったら
すぐ交番に
はいって
きき なさいと…
あ……あら？
ガジャ

わしが
ついてると
いうのか！
うそを
わしが ないと
いったら ぜったい
に ないのだ！
そ
そんな
ムチャク
チャな…

競馬で スって
頭にきてる時に
ゴタゴタぬかす
と 本当に
おこるぞ！
早く
どこかへ
行ってしまえ！
わっ
わかっ
たす！

東京は てめえ
みてえなやつが
くる所じゃねえ
さっさと
帰りやがれ！
はーい

ふん！
まったく
もう！

あーあ
よけい
イライラ
してきたよ
まったく

……
……

なんだ
てめえら！
見せ物じゃ
ねえぞ！
岩田工業
きゃあ！
うわぁ
たすけて
くれ～～

どいつも
こいつも
……
はあ
はあ

グッ
キュル
キュル

キキーッ
そういえば
お昼は
まだかな？
ハラへった
な…
へーい
おまち！

まさに
台本どおり
だな
へへへへへ
はっはっ
ハラペコだけに
じつに
うまそうだ
まいど

おっと
お茶を
いれてから
たべるか
お茶
お茶…と
ガラッ
ニャーン

天丼なんて
ひさしぶり
だな
いつも
モリソバ
ばっかりだ
からな
お茶でも
のみながら
ゆっくり
味わおう…
コポ
コポ

あさって
給料日
だから
いいだろ
う……
へへへ…
ガラッ

あっ
また あの
ドラネコ
め!

よ ようし!
そのまま
動くんじゃねえ
ぞ………
ススス

いつもいつも
たべられて
ばっかりじゃ
ねえぞ
このドラネコ
やろうめ!
このまえは
モリソバに
つゆつけて
ネギまでいれて
たべやがって……
カチ!
今日という
今日は
ただじゃすまん
そう思え!

ダッ!
殺気

このやろう!
ドギャッ
ドギャッ
ドギャーン!!
てめえ!
ドギャッ
くそ!!

まて…
にげるか
ひきょう者め!
きゃあ!
ダッ
ドギャッ
ビッ

とことんまで
おってやるぞ
まて～～～
タッ
はっ
も安全
ストン
スタッ
キ

いかん!いかん!ハラへってると本官はなにをしでかすかわからん!
まったく自分でもおそろしくなってしまうよ
なんてこった今のさわぎで全弾うちつくした
また始末書を書かんといかんな…
バラバラ
カラの拳銃なんてぶらさげていてもなげるくらいしか役にたたんと思うが……
まあいい外からみただけじゃわかるまい
それよりメシにしよう
スタ!
さいわいに銃撃戦のかいがあってエビ天が一ぴきたすかったからがまんするか

さーてそれじゃたべ………
!?

なんじゃいこりゃあ?

あっ
中身だけたべやがった!

なんの インガで ころもだけ の天丼を たべにゃな らんのか
パク パク
ネコの あまり なんて なけて くるよ
はて それにしても いつ お茶づけに したかな?
クン クン
まだ お茶を いれた おぼえが ないが……
変に におうな
ドキッ
……!

ザー
立入禁止

ザー

ふう まいった まいった
これが 元で十二指腸 潰瘍にならな きゃいいが…
ギュ!!

少ししか たべなかった から まだ ハラ へってるよ
パンでも かって くるか!

パンも 値あげで 今は 高いだろ うな……
おい 寺井 パンかいに いくから 留守番 たのむぞ
寺井
!

寺………
そうか！やつは今病院にいやがるんだ！
たしか先日パトカーにはねられて重体だとかいってたっけな

こまったな交番をカラッポにしていくわけにもいかんし
通行人にかってこいとたのむのも…
さりとてハラはへるし相棒がいないと なにも

そういえば部長 今日から新入警官がここへくるといっていたがおそいよな……
もう1時をまわってるというのに…

どんなやつがくるかな？
わしごのみの美人の婦警さんが やってきて〝両津さん よろしくおねがいします〟
なんてことはぜったいありえないだろうしな先にいた松本のようなユニークなやつだと いいがな……

マヨネーズのいっきのみがとくいだったな
じつにおもしろい野郎だったアハハハ

キキーッ

バタン
タ

K.N.

運転手くん
代金は
署に
つけといて
くれたまえ
まいど〜
バーッ

あなたが
両津巡査長
さん
ですか?
ああ…うむ
わしがここの
亀有公園前
派出所の
両津だ!

本日から
ここの派出所に勤務
する事になりました
中川圭一です!
よろしく
おねがい
します
先輩!
ピッ

まあ
いい
いい
そう
かたくならんで
楽に いこう
楽に はははは

わしがむこうの机 お前はこっちの机をつかえ
本官はパンをかってくるから 留守をたのむぞ
ついでに この中も掃除しといてくれ ホウキは 表にたてかけてある たのむぞ
はい！

小岩井

モグ
モグ

おい！中川とかいったな
はい なんでしょう 先輩！

さっきはパンに夢中で気がつかなかったが
お前の制服はわしのとだいぶちがうな!?

おっ これですか? ははは さすがに お目が高い これは ピエール・エロダンのデザインです
制服用に特注した服なんですよ

ネクタイもいやにチャラチャラしてるじゃない?
なーに気にしないで下さい 安物ですよ フランス製で ほんの2万円…

最近 署へ いっとらんが さばけてきたな そんな服を ゆるすなんてな
いやあ けっきょく だめだと いわれましたがね………
タクシーの中で きがえたんですよ やはり警官も 個性の時代ですからね
………
そうかあ やるなあ お前も!
いやあ 気が あいそう
いやあ ははは それほどでも

先輩だって 署内じゃ 有名ですよ
なんでも "始末書の両さん"とか
なんだと きさま 先輩に むかって その言い草は!
いいや ぼくが いったんじゃないですよ!
署にいる 庶務課の かの女たち

けしからんな そんな根も葉も ないことを いってるなんて!
しかし 本当のこと だからな…
ところで先輩!

派出所勤務って いったい どんな事 するんですか?

道をきかれたら おしえたり…
交通違反の取りしまりをしたり…
公園内をみまわったり……
日夜 住民のためにがんばってるわけだ
ほーけっこういそがしいんですね
あったりめえじゃんか 都民が毎日 安心してくらしていられるのはひとえにわしらのおかげよ!
わしらがいるかぎり 日本の前途には 後光がさしてるってわけ
じゃあ わるそうなのみつけしだいに…
と……
ジャキーン
なな なんだ その拳銃 警官装備用と ちがうんじゃ ない
ガバッ
はい アメリカのS&W社から とりよせた拳銃です
目だつようにニッケル仕上げにしてもらった
44 MAGNUM
MADE IN U.S.A.
先輩のニューナンブよりふたまわりほど大きいですよ 銃身が3.5インチほど長いですしね!
なるほど長いな…
M60 38S NEW NAMBU
拳銃は日本製よりアメリカ製にかぎりますよ
ほう……

みかけのわりにかるいでしょう
Kフレームでできてます
映画 ダーティハリーで イーストウッドがつかうのをみてしびれましてね さっそく米国からとりよせたわけですよ はははは
弾丸は44スペシャルです
ダーティーハリーみなかったんですか？ あのすばらしい映画ぼくら 警察官の鏡ですよ！
ハハハハ
わしはどちらかというとポルノ映画のほうがすきだからな……
こんな物つかうとは……
感激しましたよ とくに銀行ギャングの車にむかってうつシーンは もう涙がでるほどです
イーストウッドのあの大きな手でこのマグナムをにぎりしめて…

そうだな…あっ ちょっと あのライトバンが銀行強盗の車と仮定しますね
お おい 本当にうつ気か お前！
うちませんよ ただそのシーンを説明するだけですから

ここからがいよいよクライマックスなんですよ いいですか始めます
うむ わかった
にげる犯人の車にイーストウッドは少しもあわてず ふところよりさっそうとこのM29をとりだす！

世界で 最も
強力なパワーのある
この拳銃 とても
まともには
うてやしない
そこで
腰をひくくして
足をひらき
スタンスを
ひろくとる
そして大型
拳銃独特の
両手保持射撃
姿勢をとる
おちついて
かつ すばやく
この動作を
おこなう!
ふんふん
なるほど
……
そして
……
そして……あ
あの犯人の車
に ねらいを
さだめて
……
ねらいを
さだめ…
……
お おい
あまり本気
に なるん
じゃない!
中川!
バ バカ
そこまで
リアルにやる
やつが
あるか!
いけね!
引金が
フェザータッチ
で 敏感にして
あったのを
わすれて
いた!
いいから
かくれ
ろ!

先輩
さっきの
ライトバン
どうなって
ます？
しらん
とぼけちまえ
ば わかりゃ
しねえよ
本日休業

しかし
むこうは
ごまかせても
お前の拳銃の
弾丸が1発
へってるのは
ごまかし
きれんぞ
スペアを
もってくる
べきだったなぁ
どうします？
心配するな
こんな事には
なれて…いや
これは午前中
までの報告
書類だ！
うまく
書き
なおせ
さすが先輩
恩に
きます！
パラッ

ふう……
どうやら
ごまか
せた
ようだな
まったく
この任務は
神経をつか
うよ………
先輩 うまく
ツジつまを
あわせろったって
午前中は駐車
違反1件きり
だけじゃ
ないですか！
そこを
うまく
ごまかし
まとめる
んだよ
お前

そんなものですかね……
あたり前だ そのくらいの事ができなくてどうする！

それじゃこんなのはどうでしょう
私が駐車違反を注意するとその男はいきなりナイフをもって襲いかかってきたので　私は身をかわしてその男のにげる所を威嚇射撃した……
クイ！

少しまだよわいな……
たとえば相手にナイフでなくオノとかをもたすとか
車のトランクから散弾銃をぶっぱなしてきたとか……
そのな…迫力がたらんのよ

それじゃあこうしましょう
私が注意をするといきなり散弾銃をうってきて手りゅう弾をなげつけてきたので　私は身をかわし　その男がにげる所を1発威嚇射撃
まあそんな所だろうな

よかった！やればできるものですね しかし先輩よくイメージがわきますね かんしんしますよ
まるでいつも自分がいや なんでもありません

それからついでにそこへ5発たしといてくれや！
ポン
なっ
えっ!? なぜです？

まあ いいから いいから こまかい事に気を使うと 出世せんぞ はははは
はあ? じゃ 計6発 発砲する…と
ふうやっとできた ……しかし これ 本当に信用してくれるかな?

チラ!
あーあー まだ あと 2時間もあるのか
ふあ~
たいくつですね トランプでもしましょうか?

ガタッ
なっ なに!!
じょ じょうだんですよ ははは 軽いじょうだんです
どうして もっと早く いわなかったんだ!
さっそく やろう!
ああ…!!

しかしトランプなんてのはガキのやる遊びよ!
わしらの年代なんたって花札にかぎるって!
そ そんな所に…

オイチョカブできる?
ええまあ少し…
ようしそれでこそ一人前だ!

まず親ぎめからだ
わしからいくぞ!

それ!クソサクラだ
今度はぼくの番ですね

雨だじゃぼくが親をやりますよ

ひさしぶりでワクワクするなひひひひ

ん…

どうしたんです?先輩?

ちょっとくばるのまってろ……
ははは…
おまわりさんが 勤務中に堂どうと花札なんかやっていていいのかね?
まったくふまじめですなあ
ややや こっちのおまわりさん 拳銃に手をかけましたよ
こっちへきますよ 私たちをうつ気でしようかね?
ま まさかおどかしているんでしょ
で でもおこるとなにするかわからんと評判だぞ……
ジリ
ジリ
ガラ
うぎゃでたあ!
ひゃあ
たすけてくれェ
ここじゃおちつかん 奥のざしきでやろう!
え? ここカラになっちゃいますよ
かまわん! どうせ奥にいるんだからな それに交番に はいるドロボウもおらんだろう
早くこい!
そりゃまあそうですが………
じゃあやりますか!
ガラガラ

正しい横断いつも安全
交通
押ボタン式
ブロ ブロ

すいません ちょっと道を ききたいの ですが……

だれも いないの かな？
あっ！
ガラッ
ビクッ
なんだってんだ うるせえなあ もう

なんの用だ！ 早くいえ！
じーーっ

まちが えたか な？
派出所
いや？ たしかに交番だ ここは？

あの 大学館へ いきたいの ですが ……
大学館？ それなら あの駅から 省線にのり 一ッ橋でおりて すぐだ

どうも ……
いや なに

今の顔 どこかで みたような 気がする けどな…
気のせい かな？
爆弾犯人

いや! それどころじゃないんだ! 今は
わしがまけてるんだっけな!

いやあ すまんすまん さあ早く くばってくれ もう一回だ!
えっ まだやるんですか?
制服 装備はおろか 拳銃や 携帯受令機まで かけちゃって
こんどは…?

なにをいうか 奥の手があるぞ! さっさとくばれ!
じゃ この一番で終わりですよ もう…本当に……

最後の決定版 亀有会館で 今やってる 関西ストリップの回数券だ!

………

ようし これで全部とりかえすからな… ん〜〜 思案のしどこだ
どうします? もう一まいですか?

ようし 男は度胸! もういっちょう
……

げっ! ニゾウか!! しまった!

先輩
さっきの帳消しにしますから せめて制服だけでもきてくださいよ
うるさい 男が勝負でまけたものをうけとれるか！
今日のような暑い日は このほうが 軽快で働きやすいもんだぞ はははは
パタ パタ
強情だなあ…
たたいへんだ！ケンカしてます ぜ！
なにっ
ガタッ
よし まってろ 今すぐ本官が…
あっ そうか
おい新入り すぐいってこい
えっ
ぼ ぼくじゃわかりま せんよ
まだ この交番にきたばかりだし……
わかった わかったよ オレが いきゃいいんだろ！ オレが いきゃ!!
だから… ね この服を……
この雨ガッパ 少し小さいが このさい しかたない

先輩！
いくらなんでも それじゃあじょうだんがすぎますよ
ムリしないできがえてください
交通安

カラーン
コローン
お前はここで留守番をしていろ ちょっといってくるからな
カラーン
ああ先輩！

本当にいっちまったよ
あんな姿で警官だと言ってもだれも信用してくれないだろうな…

佐度ヶ島酒店
酒類 食料品 佐度ヶ島酒店
すし
ガヤ
ガヤ
ブルル

おら どいた どいた

なんだ ケンカはもう おわったのか？

ケンカじゃないよ 店の金 かっぱらった 男と この店の 店員が ここで とっくみあって けっきょく にげられた けどね
ふんふん なるほど 窃盗事件か

あんたが 酒屋の 従業員ね くわしく 状況を 話して…
はあ… 私が 奥で はなして いると……
カントリービール

!?

ところで いったい あんたは だれ?
なんでそんな事を 聞くんだよ!
なんでったって これが オレの 仕事だ 文句あっか
カントリービール

こっちは いそがしい んだよ 大損害した んだからな!
だから こうして オレがきた んだろう このやろう
ボキッ
なんだと!

なんだとは なんだ!
なんだと はなんだ とはなん だ!

はい こちら 亀有公園前 派出所……
あっ
なにやって るんですか 先輩!?

いや なにね 酒屋の主人が わしが警察官だ と いってても 信じてくれん のだよ はははは
お前がきて 説明して くれんか……
うん そうだ
なるべく 早くな…

すいやせん つい最近 ここへ こしてきた もんで…
なーによ くある事だ 気にするな はははは
佐渡ヶ島酒店
あのおまわりさん かっこいいわ…
現代的センス
あっ こっちを むいた きゃー
チラッ

きみたち ぼくは そこの 交番に いるから いつでも あそびに きたまえ…
よかったら 今度パトカーで 江戸川へドライブにつれていってあげよう
うわあ うれしい 本当!?
本当さ ぼくは美人に ウソをついた 事はないよ
おーい なにしてんだ
それじゃ! あそこにいる凶悪犯人の護送の途中ですからこれでしつれい
わしの事 なにか いったか?
えっ
!?
いやあ いい先輩だって話していたんですよ

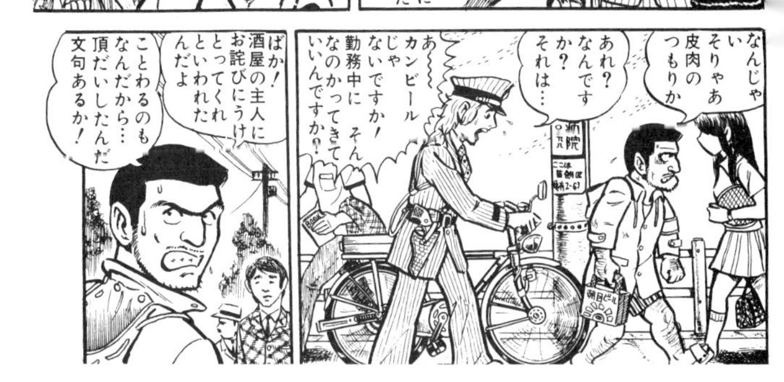
なんじゃい そりゃあ 皮肉の つもりか
あれ? なんですか? それは…
あ～～ カンビールじゃないですか! 勤務中に そんなのかってきていいんですか?
ばか! 酒屋の主人にお詫びにうけとってくれといわれたんだよ
ことわるのも なんだから… 頂だいしたんだ 文句あるか!

少しの間
留守にしてたけどまさかドロボウがはいらなかったろうな
ガタン
そんな度胸のあるやつはこのへんにゃおらんだろう
ガチャッ
しかし どうするかな このビール ここへおいとくと3時の引き継ぎの連中にのまれるかも…
さりとて12本も
ことも
ないか…
お前も
のむか？
3時までだ
全部のんでしまえよ
それじゃぼくもお手つだいしましょうか？
ふう～～い あせってのんだから味わうひまもなかったな…
おう
交替が
おいでなすったぞ！
ヒック
巡査部長！
なんで またいっしょに！
そんなにおどろく事はあるまい
月例調査にきただけだ
それは来週じゃなかったんですか
今月から抜き打ち調査になったのだがそのカイあった
きみたちふたりはどうも都内の交番にはむかない気がしてならない
わしがもっといい派出所をさがして
ブ

こちら葛飾区亀有公園前派出所㉖（完）

★週刊少年ジャンプ1976年29号

あとがき

『こち亀』の文庫化の企画があった時、「連載が続いているのになぜ？」と聞き返した事があった。すると「通常は、終了後何年かして文庫にするけれど、『こち亀』はいつ終了するかわからないし、20年近く（当時）連載しているから懐かしい読者もいるはずですよ」と言われた。たしかに、終了が決められないのは事実で、文庫化は不可能である。「コミックスが出ているので、あまり売れないと思いますよ」と作者の自分が言いつつ、この前代未聞のコミックスと文庫の同時発行がスタートした。

文庫は自分の予想に反して売れていると聞き、本当に驚いた。「じゃあ、コミックスの方は落ちこんじゃうかな」と思ったら、ほとんど変化なし。どういう現象なのかと文庫担当の方に聞くと、購買層はサラリーマンの方が多いとの事。つまり、元・ジャンプ少年も多くいるらしい。なるほど、コミックスは買いづらいけど、文庫なら手軽に読めるわけか！　さすが出版社の読みは鋭い。まさかとは思ったコミックスと文庫の共存が可能だったわけだ。

それと、今回の文庫は、コミックスと同じではなく、自・選・集にしようという事で、30作品前後の中から17作品ほどの傑作を選り抜いて、一冊にまとめるというスタイルになった。毎回3冊分、60本読んで34本を選ぶという作業は、想像以上に大変…！　仕事の合間にやるので3～4日はかかる。さらに収録の順番に悩み、選んだあとも「やはり、あの作品も選ぶべきだったかな？」と悩み、週刊連載のネームより悩む事も多かった。文庫シリーズの最終巻となった今、ホッとするよりも、ちゃんと自選が出来ただろうかと不安が残る。

また、コミックスは104巻、105巻と未来へと進むが、文庫は過去にさかのぼって行く形を取った。その為に終わりがあり、連載第1作目が収録されている今回の26巻で、一応終了という事になる。毎週新作を描きつつ、文庫自選の為に毎回作品を読み、過去に戻ってゆくのは妙な気持ちだ。20巻～10巻の頃はよく記憶しているのだが、10巻～1巻の頃の記憶が極端に無い。連載開始直後の3話目あたりまでは、準備期間もあり、ネームのストックもあったが、連載と同時にあっという間に無くなり、毎週締め切りの日々で「とにかく締め切りを守らないと」と、机で仮眠を取り、横になって寝た記憶が無い、という事が1～2年続いた時代だった。それが10巻頃までの事で、11巻あたりから、やっと連載ペースが見えて来た。とにかく、連載開始から1～2年は1日23時間くらい仕事をしていたので、夢の中で描いているような感覚だった。今読み返しても別人が描いた作品のように感じる。

文庫のおかげで、過去の自分に会えた気になる。「当時の状態でよく体を壊さず生きていたな」と声をかけたくなった。しかし、仕事はきつかったが、全然辛くなかった。デビューした喜びと、プロになったんだから頑張らないと、という気持ちでいっぱいだった。
文庫の解説エッセイを書いて下さった方々には、毎回、その分析にうなずき、励まされ、新作へのエネルギーにさせていただきました。
コミックスとはひと味ちがう文庫本。コンパクトサイズで長編を集める（？）には最適かもしれませんね。

秋本　治

掲載作品は集英社より刊行されたジャンプ・コミックス『こちら葛飾区亀有公園前派出所』第1巻（1977年7月）第2巻（同9月）第3巻（同11月）第4巻（1978年2月）、『こちら葛飾区亀有公園前派出所――下町奮戦記――』（1988年12月）の中から、著者自らが精選して収録したものです。

集英社文庫〈コミック版〉

ラブホリック 5〈全5巻〉
宮川匡代
③同時収録「love must go on」「in the showcase」
④同時収録「Somebody loves you」 ⑤同時収録「love must go on」

シゲルは食品メーカーで働くOL。口の悪い上司・朝比奈課長には怒られてばかり。でも最近、男として意識し始めた!? 新世紀オフィスラブ!

花になれっ! 9〈全9巻〉
宮城理子
①解説エッセイまんが⑨あとがきエッセイまんが　宮城理子

地味な女子高生・ももは、ひょんな事から超イケメンな蘭丸の家で住み込みメイドをする事に。その上、蘭丸の手でキレイに変身して!?

ラブ♥モンスター 1〈全7巻〉
宮城理子
①解説エッセイまんが　宮城理子

SM学園(セントモンスター)に入学したヒヨを待っていたのは、イケメン生徒会長・黒羽をはじめ、個性豊かな妖怪たちで…!? 妖怪ラブ♥ファンタジー。

谷川史子初恋読みきり選　ごきげんな日々
谷川史子

誰もが経験したことのある初めての恋…。あの日に感じた、切なくて甘酸っぱい気持ちを鮮やかに描いた、珠玉の初恋読みきり選。

谷川史子片思い作品集　外はいい天気だよ
谷川史子
あとがき　谷川史子

付き合っていても距離を感じる恋人同士…、一方通行な想いに悩む彼女など…。様々な片思いのかたちを繊細に綴った、片思い作品集。

ASRAC 出9908828-901

集英社文庫(コミック版)

こちら葛飾区亀有公園前派出所 26

1999年8月16日　第1刷
2009年7月31日　第2刷

定価はカバーに表示してあります。

著　者　秋　本　　治

発行者　太　田　富　雄

発行所　株式会社　集　英　社
東京都千代田区一ツ橋2－5－10
〒101-8050
電話　03（3230）6251（編集部）
03（3230）6393（販売部）
03（3230）6080（読者係）

印　刷　図書印刷株式会社

ISBN4-08-617126-0　C0179